Este livro é uma ferramenta preciosa para o [illegible]ensão da aliança matrimonial e dos valores divinos da família. O ensino transmitido por esta obra ajudará você a viver melhor tanto na vida familiar quanto na relação com Deus. Recomendo fortemente este livro, do amado amigo Luciano Subirá, para todos os interessados em um ensino profundamente bíblico e equilibrado sobre família.

Abe Huber
Paz Church, São Paulo/SP

Numa sociedade sem direção, este livro — escrito por um mestre no ensino que pratica o que ensina — nos inspira a olhar as instruções bíblicas para a família de perto e com cuidado.

Claudio Duarte
Projeto Recomeçar, Duque de Caxias/RJ

Endosso a vida e o casamento de Luciano e Kelly Subirá, queridos amigos e companheiros de ministério, e recomendo este livro. A obra que você tem em mãos é um baú de pedras preciosas, uma poderosa ferramenta para discipular a Igreja e as nações, um manual bíblico de casamento e família essencial para nossos tempos. Quem tem ouvidos ouça! O Noivo se aproxima! Prepare-se para o casamento! Mergulhe nesta leitura com atenção e responsabilidade!

Marcos de Souza Borges (Coty)
Editora Jocum Brasil, Curitiba/PR

Agradeço a Deus por este livro estar em suas mãos! Ele não apenas transmite conteúdo como também se trata de um grito, uma voz profética que clama em meio ao deserto árido por onde caminham, hoje, as famílias brasileiras. Esta obra traz respostas para gerações — atuais e futuras — que carecem cada vez mais de valores, princípios e, principalmente, referenciais. Peço a Deus que o Espírito Santo fale ao seu coração por meio desta leitura, não somente para que você e sua família sejam beneficiados, mas para que outras famílias também sejam alcançadas por ela. Alimente-se das bênçãos contidas nestas páginas, e faça isso sem moderação!

Nelson Junior
Movimento Eu Escolhi Esperar, Vila Velha/ES

Este livro explica muito bem os princípios bíblicos sobre o casamento, especialmente no que se refere ao valor da aliança entre marido e esposa. Que lindo! Que animador! Como eu gostaria que todos os solteiros lessem esta obra e entendessem a alegria, o valor e a seriedade dessa aliança. Todo pastor deve ter este livro como referencial na sua biblioteca. Nele, Luciano Subirá aborda assuntos difíceis com muita sabedoria e graça, o que me faz admirá-lo e respeitá-lo ainda mais como mestre da Palavra de Deus. E cabe ressaltar que a família Subirá modela e vive os princípios contido neste livro!

Paulo Jeff Hrubik
Missão Paz, Santarém/PA

Acompanhei a concepção e a realização desta obra e testemunhei quanto Luciano Subirá orou em busca de uma confirmação sobre levar adiante este projeto literário — o que Deus confirmou de maneiras maravilhosas. Por causa da obediência do autor ao Senhor, chega às nossas mãos um tesouro. Neste livro, você encontra as ferramentas necessárias para o sucesso de sua família. Aproveite!

Ricardo Vasconcellos
Ministério Família de Sucesso, Brasília/DF

Deus criou todo o universo e colocou nele seu maior projeto: a família. Atualmente, poucos têm traduzido essa poderosa realidade tão bem quanto o querido pastor Luciano Subirá. Nesta obra, por meio de maravilhosas verdades eternas, você tem a linda oportunidade de não ser apenas abençoado, mas abundantemente abençoado.

Márcio Valadão
Igreja Batista da Lagoinha, Belo Horizonte/MG

O Propósito da Família é um dos melhores livros que já li sobre o tema. Recomendo-o com entusiasmo e, isso, por três razões eloquentes: primeira, porque Luciano Subirá é um homem de Deus e sua vida é avalista de sua obra; segunda, porque o autor traz uma abordagem bíblico-histórica assaz enriquecedora; terceira, porque este livro será uma poderosa ferramenta nas mãos de Deus para orientar, edificar e restaurar milhares de famílias.

Hernandes Dias Lopes
Luz Para o Caminho, Campinas/SP

LUCIANO SUBIRÁ

O PROPÓSITO DA FAMÍLIA

A IMPORTÂNCIA DA VISÃO FAMILIAR NA RELAÇÃO COM DEUS

Editora Vida
Rua Conde de Sarzedas, 246 – Liberdade
CEP 01512-070 – São Paulo, SP
Tel.: 0 xx 11 2618 7000
atendimento@editoravida.com.br
www.editoravida.com.br

Editora responsável: Gisele Romão da Cruz
Editora-assistente: Aline Lisboa M. Canuto
Preparação: Maurício Zágari
Revisão de provas: Marília Rocha Furtado e Equipe Vida
Capa: Rafael Brum
Diagramação: Waldemar Suguihara

Todos os grifos são do autor.

■

Todas as citações bíblicas e de terceiros foram adaptadas segundo o Acordo Ortográfico da Língua Portuguesa, assinado em 1990, em vigor desde janeiro de 2009.

1. edição: maio 2013
2. edição: maio 2020
3. edição: jul. 2022
1ª reimp.: out. 2022

Dados Internacionais de Catalogação na Publicação (CIP)
(Câmara Brasileira do Livro, SP, Brasil)

Subirá, Luciano
O propósito da família : a importância da visão familiar na relação com Deus / Luciano Subirá. -- 3. ed. -- São Paulo : Editora Vida, 2022.

ISBN 978-65-5584-316-3
e-ISBN: 978-65-5584-315-6

1. Devoção a Deus 2. Espiritualidade - Cristianismo 3. Famílias - Aspectos religiosos - Cristianismo 4. Pais e filhos - Aspectos religiosos - Cristianismo 5. Relacionamento familiar I. Título.

22-117063 CDD-261.83585

Índices para catálogo sistemático:

1. Família : Aspectos religiosos : Cristianismo 261.83585
Aline Graziele Benitez - Bibliotecária - CRB-1/3129

Esta obra foi composta em *Minion Pro* e impressa por Gráfica Corprint sobre papel *Pólen Natural* 70 g/m² para Editora Vida.

SUMÁRIO

Dedico este livro aos meus pais, Juarez (*in memorian*) e Zeni Subirá, por terem me ensinado tanto sobre a família e o casamento. Tanto por palavras quanto pelo exemplo, vocês me fizeram acreditar nesse extraordinário projeto divino. Serei sempre grato.

Também dedico esta obra a meus filhos, netos e toda minha futura descendência. Eu oro para que, até que Jesus Cristo volte, vocês absorvam, vivam e reproduzam estas verdades bíblicas em suas famílias.

AGRADECIMENTOS

À minha esposa, Kelly, fantástica companheira da minha jornada na vida conjugal. Kelly, sua colaboração com esta obra vai muito além de comentários e sugestões. Convivemos juntos nesse laboratório de aprendizado da relação matrimonial e você me ajudou a crescer e me enriqueceu para que, hoje, eu pudesse ensinar o que a Bíblia diz sobre o casamento com a autoridade de quem primeiro viveu o que posteriormente passou a compartilhar.

Aos primeiros casais que, pela restauração que se permitiram viver em seu matrimônio, inspiraram Kelly e a mim, desde o início do nosso ministério, a levar adiante a mensagem de intervenção divina no matrimônio: Rubens e Rute Tavares, Marcelo e Simone Mendes, Marcelo e Josiane Bomfim.

A toda equipe ministerial, dos pastores e líderes da Comunidade Alcance, e aos colaboradores da Orvalho.Com. Não se constrói nada significante no Reino de Deus sozinho, e eu não poderia ter abençoado tanta gente sem o apoio e a retaguarda de vocês.

A Maurício Zágari, pela gigantesca contribuição no aperfeiçoamento do texto desta edição. Além de um excelente profissional, você tem, inegavelmente, um dom! Trouxe mais clareza e objetividade ao livro e me ajudou a expressar bem melhor o que eu gostaria e não teria conseguido sozinho.

Aos meus pastores, Abe e Andrea Huber, pelo exemplo de família. Vocês inspiram minha vida e família! Além disso, são referências — e a força do discipulado é, justamente, o bom testemunho de vocês.

A algumas das pessoas que não apenas ajudaram a mim ou à produção deste livro, mas também vêm levantando a bandeira do propósito de Deus para as famílias: Jorge e Márcia Nishimura, Jessé e Suely Oliveira, Josué e Rouse Gonçalves, Ricardo e Mairla Vasconcellos, Coty e Raquel Borges, Claudio e Mary Duarte, Nelson Jr. e Angela. Vocês têm sido instrumentos divinos que proporcionam restauração e cura a incontáveis famílias em nossa nação.

PREFÁCIO

Luciano Subirá coleciona testemunhos e histórias impressionantes sobre o relacionamento do homem com o Todo-poderoso, já que serve ao Corpo de Cristo há décadas. Fiquei muito feliz quando ele me pediu para escrever este prefácio, pois o conheço, confio em Luciano e gosto muito dele. Por isso, sei que se trata de um homem precioso, dotado de talentos peculiares e fundamentais. Ele tem as prerrogativas de um pastor: vida ilibada, família exemplar, casamento alinhado, discrição como homem público, caráter e carisma.

Luciano é usado por Deus para ensinar e simplificar questões complicadas, de modo que até uma criança compreenda. Assim, com esse talento para ensinar e expor verdades, o autor presenteou o Brasil com a obra que você tem em mãos. Trata-se de uma preciosa contribuição para esta geração, tão perdida na cultura da nossa sociedade. A Igreja se deixou infiltrar e muitos cristãos se apegaram às mazelas daqueles que não têm aliança com Cristo. Com isso, muitos abandonaram os padrões bíblicos e deixaram de adotar as soluções que as Escrituras apresentam para as questões da vida.

Neste livro sobre família e casamento, o autor apresenta conceitos básicos, refuta interpretações equivocadas e transmite conhecimentos preciosos e práticos ao leitor. É justamente a prática desses conhecimentos que faz do lar um espaço terapêutico, de perdão, adoração, formação, culto e manifestação de Deus.

Prepare-se para se aprofundar no projeto de Deus para a família — em cores e em três dimensões, como deveria ser e como pode vir a ser. Aperte os cintos e embarque nesta viagem literária, que promete confrontar, esclarecer dúvidas e apontar o caminho para uma vida abundante no lar, um pedacinho do céu entre quatro paredes.

Boa leitura!

Josué Gonçalves
Ministério Família Debaixo da Graça

INTRODUÇÃO

Escrevi esta obra com um único propósito: compartilhar o que as Escrituras dizem sobre a família, com ênfase nos fundamentos do casamento e também na relação cotidiana do casal. Trata-se de um livro escrito por um discípulo de Jesus para outros discípulos, isto é, quem acredita que a Bíblia é a Palavra de Deus, nosso único guia de fé e conduta.

Não me importo com os conceitos da sociedade não cristã sobre o casamento ou com o que qualquer pessoa sem compromisso com Cristo diz sobre a união matrimonial, pois quero viver o plano *de Deus* para a minha família. Portanto, reconheço na Bíblia a palavra final, o modelo único e excelente para vivermos a vida familiar.

Vivemos uma época de relativização dos valores bíblicos. O pastor Hernandes Dias Lopes escreveu, em seu livro *Casamento, divórcio e novo casamento*: "O inevitável resultado do relativismo desta era é a falência dos valores morais, a fraqueza da família e o aumento vertiginoso da infidelidade conjugal. Valores relativos são uma consequência inevitável do relativismo da verdade".[1] Fato é que estamos deixando o mundo ditar as regras em assuntos em que deveríamos ouvir a Palavra de Deus. Hernandes, um dos mais conceituados expositores bíblicos de nossa nação, reforça essa realidade ao sublinhar a importância de "examinar prioritariamente não o que psicólogos, cientistas sociais ou teóricos do casamento ensinam, mas o que as Escrituras têm a nos dizer sobre isso [o casamento]".[2]

Hernandes argumenta, corretamente, que Deus tem a única palavra autorizada sobre casamento e divórcio, e seus valores não representam apenas uma opinião entre muitas — por isso, devemos nos agarrar ao que ele diz. Afinal, o mesmo Deus que criou o casamento nos legou princípios infalíveis para o sucesso na vida conjugal. Isso ocorre porque, se os valores do mundo mudam constantemente, Deus é imutável e sua Palavra jamais passará.

O teólogo Derek Prince, coautor do livro *Deus forma casais*, escreveu que o divórcio tem se tornado quase tão comum dentro da igreja como no

---

[1] LOPES, Hernandes Dias. *Casamento, divórcio e novo casamento.* São Paulo: Hagnos, 2005, p. 15.

[2] Idem Ibidem.

mundo não cristão. Ele aponta o que acredita ser as duas causas principais para o fenômeno: uma visão errada e mundana do casamento e o preparo inadequado para a vida conjugal, que não leva os cônjuges a compreender com clareza a natureza do matrimônio ou de suas obrigações. Prince concorda que somente o ensino bíblico pode solucionar de forma construtiva esses dois problemas.

Além de revelar o padrão divino para a família, as Escrituras também nos orientam a instruir os outros a viver segundo esse padrão. Portanto, o entendimento da Palavra de Deus é necessário para que vivamos os padrões divinos e para auxiliar outros a desfrutar dos mesmos resultados. Paulo escreveu a Tito:

> Do mesmo modo, quanto às mulheres idosas, que tenham conduta reverente, não sejam caluniadoras, nem escravizadas a muito vinho. Que sejam *mestras* do bem, *a fim de instruírem* as jovens recém-casadas a amar o marido e os filhos, a serem sensatas, puras, boas donas de casa, bondosas, sujeitas ao marido, para que a palavra de Deus não seja difamada.
>
> Tito 2.3-5

Portanto, além de viver o modelo bíblico de família, infere-se por essas palavras que é responsabilidade do cristão ensinar os outros a também viver de acordo com o padrão divino no lar. O apóstolo Paulo disse, indiretamente, que devemos ser mestres do bem. Embora a instrução tenha sido dirigida às mulheres idosas, o princípio bíblico de repartir o que recebemos é dado a todos. Penso, portanto, poder inferir-se que todos os que possuem mais experiência na vivência familiar deveriam ajudar os demais.

Sou um ensinador da Bíblia, chamado por Deus para o ministério de ensino. Cresci num lar cristão, onde líamos as Escrituras Sagradas diária e intensamente. Não herdei a erudição do meu pai, pastor Juarez Subirá, que estudava as Escrituras consultando diretamente o grego da Septuaginta, o latim da Vulgata e os originais, em hebraico, do Antigo Testamento. Não tenho nenhuma graduação em psicologia, antropologia ou outra área valiosa de estudo acadêmico. O meu propósito com este livro é compartilhar tudo que aprendi, ao longo de muitos anos, *lendo e estudando a Bíblia*.

É claro que não descobri tudo sozinho. Meus pais e diferentes pregadores, mestres e escritores me ensinaram muitas verdades ao longo dos anos. Porém, posso dizer que, de certa forma, refinei tudo o que ouvi e li para reter somente o que entendo estar em harmonia com a Palavra do Senhor.

Tenho vivido as verdades que compartilho nesta obra em meu casamento e ajudado muitos casais a vivenciar os mesmos princípios. Não pretendo citar muitos livros e escritores, mas desejo expor grande quantidade de textos bíblicos, de modo a sistematizá-los e aplicá-los ao nosso cotidiano.

Deus criou a humanidade, instituiu o casamento e deu a homens e mulheres o "manual do fabricante", que é a sua Palavra. Portanto, o mais importante para um casamento bem-sucedido é compreender e praticar os princípios do Criador. Sei que outras verdades sobre o comportamento humano são úteis, mas devem ser somadas à prática dos princípios bíblicos. Questões psicológicas, sociológicas ou antropológicas, por exemplo, não podem substituir os princípios divinos.

Infelizmente, há quem tente aplicar somente a psicologia ao seu relacionamento conjugal, enquanto quebra, deliberada ou ignorantemente, os princípios da Palavra de Deus. O resultado disso é que seus esforços não funcionarão. Não aos olhos de Deus, pelo menos, embora algumas pessoas possam, a olhos humanos, acreditar ter conseguido um bom resultado de vida conjugal ou em qualquer outra área da vida. É preciso mais do que boa vontade e desejo de acertar. O segredo do sucesso em qualquer área da vida depende da nossa capacidade de falar, meditar e praticar a Palavra de Deus (Josué 1.8).

Jesus comissionou seus apóstolos a fazer discípulos de todas as nações, batizá-los e ensinar-lhes a guardar (praticar, obedecer, observar) *tudo* que ele ensinou (Mateus 28.18-20). Se você se considera um discípulo de Cristo, deve obedecer à sua Palavra! Não podemos, necessariamente, esperar que quem não conhece a Cristo ou à Bíblia viva pelos princípios divinos. Contudo, é imperativo que os que declaram servi-lo o façam.

O Senhor disse: "O erro de vocês está no fato de não conhecerem as Escrituras" (Mateus 22.29) e também: "Examinai as Escrituras" (João 5.39, ARA). Portanto, informe-se devidamente no "manual do fabricante", ponha em prática seus princípios e tenha um lar abençoado e um casamento feliz —para a glória de Deus!

Vale ressaltar que meu foco nesta obra está na apresentação dos *princípios* bíblicos para o casamento, que são universais. A maneira como cada casal decide pô-los em prática define seu modelo e sua história. John e Lisa Bevere afirmam no livro *A história do casamento*[3] que cada matrimônio tem uma impressão digital única, tal qual uma casa que teve o projeto desenvolvido de forma padronizada, mas foi personalizada com liberdade criativa pelo arquiteto em função das necessidades dos clientes.

Alguns assuntos abordados nesta obra podem ter aplicações diferentes para pessoas em condições diversas. Um exemplo é a abordagem no capítulo sobre a questão do novo casamento, que pode variar entre um cristão que se casou tendo sido instruído na Palavra e um não cristão que se converteu já num segundo casamento. Portanto, não se apresse em tirar conclusões antes de prosseguir na leitura. Algumas dúvidas que surgirão serão respondidas depois, à medida que avançarmos na exposição bíblica. Mas, se surgir alguma questão que não seja esclarecida para o seu caso específico, eu oriento você a buscar aconselhamento junto a seus pastores.

Esta é a segunda edição deste livro, que celebra os 100 mil exemplares impressos da primeira edição. Realizei uma série de adaptações para esta nova tiragem, a partir do *feedback* que recebi dos leitores ao longo dos últimos anos, e, por isso, enxuguei redundâncias, eliminei digressões, aperfeiçoei o encadeamento de ideias e inseri, ao fim de cada capítulo, seções para aplicação pessoal, reflexão e momentos devocionais. Também eliminei o último capítulo da edição original, sobre criação de filhos, pois esse conteúdo foi desenvolvido e aprofundado no livro *Como flechas*, que aborda adequadamente o tema. Acredito que temos de melhorar e nos aperfeiçoar em tudo na vida, por isso, creio que a versão comemorativa que você tem em mãos chega muito mais lapidada, com um conteúdo bem mais objetivo e enxuto, e uma estrutura mais eficiente.

Minha oração é que os conceitos apresentados neste livro edifiquem e fortaleçam sua vida familiar e, também, seu relacionamento com Deus! Boa leitura!

---

[3] BEVERE, John; BEVERE, Lisa. *A história do casamento*. Rio de Janeiro: Edilan, 2015.

Parte 1

A FAMÍLIA

1

A IMPORTÂNCIA DA FAMÍLIA

Cresci ouvindo meu pai citar, com frequência, o versículo: "Deus faz que o solitário viva em família" (Salmos 68.6, ARC). A razão pela qual ele o enfatizava tanto tem a ver com sua história de vida. Ele cresceu em uma família que não servia a Jesus. Embora quase todos os familiares tenham se convertido posteriormente, originalmente a família apresentava inúmeras deficiências em decorrência da falta de valores bíblicos.

Meu avô paterno se suicidou por envenenamento quando meu pai tinha 12 anos. Ele chegou a se arrepender antes de morrer e cremos que tenha sido salvo em seus instantes finais. Fato é que, até aquele momento, meu pai nunca desfrutara de uma vida familiar exemplar, pois falta de afeto, rigidez excessiva na disciplina e muitos outros fatores contribuíram para causar-lhe grandes problemas emocionais. Por essa razão, depois de se converter, meu pai deparou-se com o que, para ele, era mais que uma promessa, era a revelação de um propósito divino: "Deus faz que o solitário viva em família".

De alguma forma, seja ao mencionar muito esse versículo, seja ao ensinar princípios bíblicos sobre vida familiar a outras pessoas, meu pai conseguiu fazer que eu crescesse compreendendo o enorme valor da família. Apesar de reconhecer que o lar em que cresci não foi perfeito, percebo que meu pai me levou a conhecer e a sonhar com o plano divino para a família. É importante ressaltar que a concretização daquilo que o Senhor deseja e pode fazer no contexto familiar depende de cada núcleo familiar entender do assunto e valorizar a família.

Muitas pessoas só valorizam a família em termos emocionais. O problema dessa avaliação é que, para quem pensa dessa forma, a família é boa somente quando as circunstâncias respaldam sentimentos positivos. Quando há crises, dificuldades de relacionamento ou qualquer outro desgaste nas emoções, para os tais, o valor da família fica seriamente comprometido. Atribuir ao lar apenas valor sentimental pode ser muito traiçoeiro.

Precisamos ir além e entender o valor que Deus dá à família. Somente com isso é possível trabalhar melhor seu peso emocional, permitindo que se alinhe ao que as Escrituras Sagradas ensinam. Portanto, para consolidar o conceito de valor familiar, vamos à Bíblia.

DEUS PENSA EM TERMOS DE FAMÍLIA

O Senhor não trata apenas com indivíduos, mas, também, com famílias. É claro que a salvação, a fé, as escolhas e o juízo futuro são individuais. É por isso que a Palavra de Deus declara: "Assim, pois, cada um de nós prestará contas de si mesmo diante de Deus" (Romanos 14.12). Contudo, no que se refere a propósito, e não a responsabilidade, a Bíblia apresenta um Deus que pensa em termos familiares.

Quando o Senhor chamou o patriarca Abraão — na época, Abrão — e fez com ele uma aliança, ainda que estivesse tratando com o indivíduo, também enfocava a família:

> O SENHOR disse a Abrão:
>
> — Saia da sua terra, da sua parentela e da casa do seu pai e vá para a terra que lhe mostrarei. Farei de você uma grande nação, e o abençoarei, e engrandecerei o seu nome. Seja uma bênção! Abençoarei aqueles que o abençoarem e amaldiçoarei aquele que o amaldiçoar. Em você serão benditas *todas as famílias da terra.*
>
> Gênesis 12.1-3

Observe que o Senhor fala de multiplicar e abençoar a família de Abrão com o propósito de abençoar *todas* as famílias da terra. Ou seja, Deus promete abençoar uma família para, por meio dela, abençoar as demais famílias do planeta, de todas as épocas. Encontramos esse padrão de salvação individual e propósito familiar em diversas histórias bíblicas, como foi no caso de Noé:

> Porque vou trazer um dilúvio de águas sobre a terra para destruir todo ser em que há fôlego de vida debaixo dos céus; tudo o que há na terra será destruído. Mas com você estabelecerei a minha aliança, e você entrará na arca, *você e os seus filhos, a sua mulher, e as mulheres dos seus filhos.*
>
> Gênesis 6.17,18

Noé atraiu a atenção de Deus com sua integridade pessoal. Mas o livramento se estendeu a toda a sua família. O mesmo ocorreu com Ló, quando os anjos lhe disseram: "Você tem aqui mais alguém dos seus? *Genro, filhos, filhas, todos quantos você tem na cidade*, faça-os sair daqui, pois vamos destruir este lugar, porque o seu clamor tem aumentado, chegando até a presença do SENHOR, e o SENHOR nos enviou a destruí-lo" (Gênesis 19.12,13).

O que podemos dizer da família de Ló? Sua mulher, ao sair de Sodoma, olhou para trás, desobedecendo à ordem divina e demonstrando saudade daquele lugar, e foi julgada por Deus. Seus futuros genros não creram na mensagem que Ló recebera do Senhor e zombaram dele. Suas filhas o embebedaram a fim de cometer incesto. Você consegue enxergar retidão na vida desses familiares? Eu não! Aliás, vale ressaltar que quem foi chamado de "justo" pelas Escrituras foi Ló e não eles:

> E, reduzindo a cinzas as cidades de Sodoma e Gomorra, condenou-as à ruína completa, tendo-as posto como exemplo do que viria a acontecer com os que vivessem impiamente; mas livrou *o justo Ló*, que ficava aflito com a conduta libertina daqueles insubordinados. Porque **esse** *homem justo*, pelo que via e ouvia ao morar entre eles, atormentava a sua *alma justa*, dia após dia, por causa das obras iníquas que aqueles praticavam. Assim, o Senhor sabe livrar da provação os piedosos e manter os injustos sob castigo, para o Dia do Juízo [...].
>
> 2Pedro 2.6-9

O fato de que a salvação seja individual, mas os propósitos sejam, também, familiares, fica claro nas páginas do Novo Testamento, no relato do encontro de Pedro com Cornélio: "E ele [Cornélio] nos contou como tinha visto na casa dele um anjo, em pé, que lhe disse: 'Envie alguém a Jope e mande chamar Simão, que também é chamado de Pedro, o qual lhe dirá palavras mediante as quais *você e toda a sua casa* serão salvos'" (Atos 11.13,14). O mesmo se dá no encontro de Paulo e Silas com o carcereiro de Filipos: "Eles responderam: — Creia no Senhor Jesus e você será salvo — *você e toda a sua casa*" (Atos 16.31).

BÊNÇÃOS FAMILIARES

Precisamos compreender a ênfase do propósito de Deus para as famílias, pois o entendimento do projeto divino ajudará a discernir, também, o valor que ele atribui a cada núcleo familiar. É interessante observar que, nos relatos bíblicos, vemos repetidamente Deus abençoar pessoas e estender a bênção também à família delas.

Uma das primeiras bênçãos que encontramos na Bíblia como consequência da obediência ao Senhor foi destinada aos israelitas da época de Moisés: "Bendito será o fruto do seu ventre" (Deuteronômio 28.4), assegurou o Todo-poderoso. O mesmo aconteceu na vida de Potifar, capitão da guarda do faraó, por ele ter sido bom para José: "E, desde que Potifar o fez mordomo de sua casa e encarregado de tudo o que tinha, o Senhor abençoou a casa do egípcio por causa de José. A bênção do Senhor estava sobre tudo o que tinha, tanto em casa como no campo" (Gênesis 39.5).

O mesmo se percebe na história das parteiras Sifrá e Puá, que, por temor a Deus, desobedeceram à ordem do faraó de lançar no rio Nilo os meninos recém-nascidos do povo hebreu: "E, porque as parteiras temeram a Deus, ele lhes constituiu família" (Êxodo 1.21). Veja, também, como as Escrituras se referem a Obede-Edom: "Assim, a arca do Senhor ficou na casa de Obede-Edom, o geteu, durante três meses, e o Senhor o abençoou e a toda a sua casa" (2Samuel 6.11). Há uma evidente relação entre as bênçãos divinas e a família.

Quem pregou na cerimônia de meu casamento foi meu pai, Juarez. Na ocasião, ele falou de um texto bíblico que cresci escutando-o mencionar: Salmos 128. Os quatro primeiros versículos são especialmente significativos:

> Bem-aventurado aquele que teme o Senhor e anda nos seus caminhos! Você comerá do fruto do seu trabalho, será feliz, e tudo irá bem com você. Sua esposa, no interior de sua casa, será como a videira frutífera; seus filhos serão como rebentos da oliveira ao redor da sua mesa. Eis *como será abençoado o homem que teme o Senhor!*
>
> Salmos 128.1-4

Essa fala de prosperidade material e familiar. A bênção da família parece vir até mesmo antes das outras:

> Que os nossos *filhos* sejam, na sua mocidade, como plantas viçosas, e que as nossas *filhas* sejam como colunas, esculpidas para um palácio. Que os nossos celeiros transbordem, cheios de todo tipo de provisões. Que os nossos rebanhos produzam a milhares e a dezenas de milhares, em nossos campos. Que o nosso gado seja fértil, e as vacas não percam as suas crias. Não haja gritos de lamento em nossas praças. Bem-aventurado o povo a quem assim sucede! Sim, feliz é o povo cujo Deus é o Senhor!
>
> Salmos 144.12-15

As Escrituras mostram que Deus não somente abençoa a família, mas também a vê como uma bênção a ser oferecida à humanidade: "*Deus faz com que o solitário more em família*; liberta os cativos e lhes dá prosperidade; só os rebeldes habitam em terra estéril" (Salmos 68.6); "*O Senhor faz com que a mulher estéril viva em família* e seja alegre mãe de filhos. Aleluia!" (Salmos 113.9).

Durante muito tempo, acreditei que o Senhor abençoava a família porque ela é importante para nós. Contudo, descobri — e tratarei disso em detalhes adiante — que Deus não a abençoa apenas por ser importante para a humanidade. É muito mais, já que a família é importante para ele! As bênçãos prometidas somente fortalecem o conceito de que, antes de tudo, o Senhor se importa com a família e a valoriza.

MANDAMENTOS FAMILIARES

Além das bênçãos, encontramos na Palavra de Deus mandamentos familiares. O mesmo Deus que criou a família também decidiu protegê-la, dando à humanidade leis que visam à preservação dessa instituição. Entre os Dez Mandamentos, três são diretamente ligados à questão familiar: honrar os pais, não adulterar e não cobiçar a mulher do próximo. É notório que as Sagradas Escrituras estejam repletas de ordens divinas ligadas à vida em família. Esses mandamentos, se obedecidos, trazem bênçãos sobre a vida dos que os praticam. Veja: "Filhos, obedeçam a seus pais no Senhor, pois isto é justo. 'Honre o seu pai e a sua mãe', que é *o primeiro mandamento com promessa*, 'para que tudo corra bem com você, e você tenha uma longa vida sobre a terra'" (Efésios 6.1-3).

Outro ponto a destacar é que filhos devem a seus pais não apenas obediência, mas, também, honra. Com o casamento, o filho deixa pai e mãe para se unir ao cônjuge, o que põe fim à necessidade de obediência, mas não à de honra: "Mas, se alguma viúva tem filhos ou netos, que estes aprendam *primeiro* a exercer piedade para com *a própria casa* e a recompensar os seus pais, pois isto é aceitável diante de Deus" (1Timóteo 5.4). Filhos devem recompensar os pais, que os criaram, quando eles chegarem à velhice, o que se refere não somente a suprir necessidades materiais, mas a honrá-los.

Além de preceitos que determinam a conduta dos filhos com relação aos pais, também há na Bíblia mandamentos que indicam qual deve ser a conduta dos pais com os filhos. Um se destaca: criá-los no temor do Senhor: "E vocês, pais, não provoquem os seus filhos à ira, mas tratem de criá-los *na disciplina e na admoestação do Senhor*" (Efésios 6.4); "E que [o bispo] *governe bem a própria casa, criando os filhos sob disciplina*, com todo o respeito. Pois, se alguém não sabe governar a própria casa, como cuidará da igreja de Deus?" (1Timóteo 3.4,5).

As Escrituras também apresentam ordens divinas específicas para os cônjuges: "Assim também o marido deve amar a sua esposa como ama o próprio corpo. Quem ama a esposa ama a si mesmo" (Efésios 5.28); "Maridos, que cada um de vocês ame a sua esposa e não a trate com amargura" (Colossenses 3.19); "Esposas, que cada uma de vocês se sujeite a seu próprio marido, como ao Senhor; porque o marido é o cabeça da esposa, como também Cristo é o cabeça da igreja, sendo ele próprio o salvador do corpo. Como, porém, a igreja está sujeita a Cristo, assim também a esposa se sujeite em tudo ao seu próprio marido" (Efésios 5.22-24).

A FAMÍLIA EM NOSSA ESCALA DE VALORES

A escala de valores de muitos cristãos está invertida. Alguns vivem de modo desordenado porque desconhecem o que as Escrituras ensinam a respeito de determinado assunto. Outros o fazem porque, mesmo tendo as prioridades devidamente ordenadas mentalmente, não conseguem mantê-las na prática.

Para os que desejam viver com o coração no lugar correto, o primeiro a fazer é conhecer a ordem de valores do ponto de vista de Deus e, em seguida, lutar para que tudo funcione!

1º lugar: Deus

Absolutamente nada deve ocupar o primeiro lugar em nossa vida a não ser Deus. O mandamento que Moisés recebeu e Jesus enfatizou estabelece esse lugar de primazia:

> Chegando um dos escribas, que ouviu a discussão entre eles e viu que Jesus tinha dado uma boa resposta, perguntou-lhe:
>
> — Qual é o principal de todos os mandamentos?
>
> Jesus respondeu:
>
> — O principal é: "Escute, ó Israel, o Senhor, nosso Deus, é o único Senhor! Ame o Senhor, seu Deus, de todo o seu coração, de toda a sua alma, de todo o seu entendimento e com toda a sua força." O segundo é: "Ame o seu próximo como você ama a si mesmo." Não há outro mandamento maior do que estes.
>
> Marcos 12.28-31

Amar ao Senhor de todo o coração, toda a alma, todo o entendimento e com toda a força é pô-lo em primeiro lugar. Jesus deixou bem claro aos que quisessem segui-lo como discípulos que deveriam reconhecê-lo antes de tudo, até mesmo à frente das pessoas que normalmente são as mais amadas e queridas:

> Se alguém vem a mim e não me ama mais do que ama o seu pai, a sua mãe, a sua mulher, os seus filhos, os seus irmãos, as suas irmãs e até a sua própria

> vida, não pode ser meu discípulo. E quem não tomar a sua cruz e vier após mim não pode ser meu discípulo. [...] Assim, pois, qualquer um de vocês que não renuncia a tudo o que tem não pode ser meu discípulo.
>
> Lucas 14.26,27,33

O Senhor deve estar à frente de pais, cônjuge, filhos e qualquer outro parente. Ele precisa estar no topo de nossa lista de prioridades, antes de bens ou qualquer outra coisa — incluindo a nossa vida! Na prática, o que esse entendimento acarreta? Um exemplo é uma pessoa que, incomodada com a fé do cônjuge, lhe dá um ultimato e pede que escolha entre ela e o Senhor. Nesse caso, o cônjuge precisa estar disposto a sacrificar o relacionamento para manter-se fiel a Deus. Como ordenou Jesus: "Mas busquem *em primeiro lugar o Reino de Deus* e a sua justiça, e todas estas coisas lhes serão acrescentadas" (Mateus 6.33). Isso não quer dizer que as outras coisas não caibam em nossa vida, mas que elas vêm depois do Senhor.

2º lugar: a família

Muitas pessoas erram ao pensar que a igreja vem logo depois de Deus. Na verdade, é a família que precisa estar em segundo lugar. Quando era adolescente, conheci uma senhora que desapareceu de casa por mais de um mês alegando ter sido chamada por Deus para uma missão. Quando os irmãos da congregação perceberam o que estava acontecendo, tiveram de cuidar dos filhos daquela mulher, que ficaram sem ter o que comer nem o que vestir.

Uma situação como essa é um absurdo. Uma mulher como essa não conhece a Bíblia, ainda que se intitule "missionária". Até mesmo para diminuir a intensidade do contato físico, a fim de se dedicar à oração, o casal precisa estar de acordo (1Coríntios 7.5). Aquela mulher não consultou seu marido! Ela simplesmente disse: "Deus me chamou e estou indo". E, ainda por cima, dizia que o marido era carnal e não discernia a voz do Senhor!

Veja o que as Escrituras ensinam sobre o lugar da família em nossa escala de valores: "Se alguém não tem cuidado dos seus e, especialmente, dos da própria casa, esse *negou a fé e é pior do que o descrente*" (1Timóteo 5.8). Não há dúvida de que a família deve ser a segunda na lista de prioridades, logo depois de Deus. Se alguém negligenciá-la por causa de igreja, ministério ou qualquer outra coisa, por mais "espiritual" que pareça, estará contra a Palavra de Deus. Paulo disse que tal pessoa está negando a fé e é pior que um incrédulo — isto é, negligenciar a família compromete a fé. Isso é muito sério! É importante observar que Paulo escreveu tais palavras para que Timóteo as transmitisse a cristãos, que eram parte da Igreja, mas estavam negligenciando o próprio lar.

Outro texto bíblico que prova a primazia da família sobre a Igreja é o conselho pastoral que Paulo estendeu a todos os ministros sob a supervisão de Timóteo: "É necessário, pois, que o bispo seja irrepreensível, *esposo de uma só mulher* [...] e que *governe bem a própria casa, criando os filhos* sob disciplina, com todo o respeito. Pois, se alguém não sabe governar a própria casa, como cuidará da igreja de Deus?" (1Timóteo 3.2,4,5). Observe que o ministro de Deus deve ser exemplar com relação à família: fiel à esposa e bom governante de sua casa e seus filhos. Caso contrário, não está apto a cuidar da igreja e do ministério.

Apesar de a Palavra de Deus não deixar dúvida quanto ao lugar da família na escala de prioridades dos cristãos, muitos deles optam pela negligência. É comum vermos pais e mães que não dão tempo e atenção aos filhos se queixarem de vê-los desviados do evangelho, sem se dar conta de que eles próprios andam desordenadamente. Há crentes em Jesus que estão perdendo seus cônjuges porque não os puseram no lugar certo da escala de valores. Abaixo de Deus, nossa atenção deve estar prioritariamente voltada à família — em atenção, honra e dedicação.

3º lugar: o trabalho

É impressionante a facilidade com que nos movemos aos extremos. De um lado, temos na igreja pessoas viciadas em trabalho, cuja vida não está em ordem por desrespeitarem a escala bíblica de valores. De outro, há aqueles que relegam o trabalho ao último lugar ou nem mesmo o consideram uma prioridade.

Quando a Bíblia diz que quem não cuida da família é pior que o descrente, refere-se ao sustento material, à provisão das necessidades físicas. Um cristão que não leva a sério o trabalho, a ponto de permitir que sua família passe necessidades, está violando os dois valores mais importantes que vêm logo depois de Deus.

O trabalho é uma ordem bíblica. É o meio de o homem sustentar sua casa e viver dignamente. Além disso, por meio de seu ganho, ele também pode servir ao reino de Deus e ao necessitado: "Aquele que roubava não roube mais; pelo contrário, *trabalhe*, fazendo com as próprias mãos o que é bom, para que tenha o que repartir com o necessitado" (Efésios 4.28). A Palavra de Deus também diz que quem não trabalha está andando desordenadamente, fora do plano divino:

> Porque, quando ainda estávamos com vocês, ordenamos isto: "Se alguém não quer trabalhar, também não coma".
>
> Pois, de fato, ouvimos que há entre vocês algumas pessoas que vivem de forma desordenada. Não trabalham, mas se intrometem na vida dos outros. A essas pessoas determinamos e exortamos, no Senhor Jesus Cristo, que, trabalhando tranquilamente, comam o seu próprio pão.
>
> 2Tessalonicenses 3.10-12

O mandamento de Deus é claro: quem não trabalha não deve ser sustentado pelos outros. É claro que me refiro a quem tem plenas condições físicas, mentais e emocionais de trabalhar, sem deixar de reconhecer exceções que não se classifiquem como omissão ou negligência. Cada homem tem a obrigação e a responsabilidade de se envolver com o próprio trabalho, o que não apenas proverá as necessidades, mas fará que ele ocupe corretamente o tempo. Paulo se orgulhava de nunca haver sido um peso a ninguém, porque suas mãos — isto é, seu trabalho — forneceram seu sustento (Atos 20.34).

Até mesmo quando Deus nos chama ao ministério de tempo integral, que também é trabalho, devemos ter a sensibilidade de reconhecer que, em determinados momentos, devido à falta de recursos, nada há nada de errado em trabalhar em outra área até que a situação mude. Foi isso o que aconteceu com Paulo em Corinto (Atos 18.1-5).

É importante reforçar que, aos que se dedicam ao pastoreio em tempo integral, o ministério se enquadra na prioridade "trabalho". Enquanto para a maioria a ordem é Deus, família, trabalho e ministério, para os que ministram integralmente na igreja local, os dois últimos pontos coincidem: o trabalho é o ministério. Jesus, ao enviar os discípulos a pregar e ministrar ao povo, referiu-se a eles como "trabalhadores" e mencionou, inclusive, seu direito a salário, que é a recompensa legítima do trabalhador (Mateus 10.7-10).

Com relação aos estudos, por considerar que se trata de um meio de profissionalização e preparo para melhores trabalhos, penso que devem ser postos no mesmo lugar que o trabalho na escala de prioridades. É importante ressaltar que algumas famílias não têm condições de pagar os estudos de seus filhos e, para essas, aconselho a encorajar os jovens a estudar e a trabalhar ao mesmo tempo. Além disso, independentemente da necessidade financeira, o trabalho engrandece e amadurece. Tanto eu quanto minha esposa tivemos de lidar com a realidade de trabalhar antes de concluir os estudos, razão pela qual temos ensinado nossos filhos a seguir a mesma conduta.

Nós nos livramos de muitos problemas se damos o devido valor a Deus, família, trabalho e estudo, respeitando essa ordem na escala de prioridades estabelecida pelo Senhor. Caso a ordem dos elementos na escala seja invertida, a saúde familiar acabará prejudicada.

PARA REFLEXÃO

1. A família tem grande importância no plano divino. Como podemos perceber isso pela perspectiva bíblica?

2. Na sua escala de valores, em termos de experiência, você diria que a família está na posição correta?

3. O que você julga ser necessário para ajustar a ordem da sua escala de valores?

MEU MAIOR DESAFIO

Escreva, no espaço abaixo, a sua principal dificuldade para pôr em prática o que é proposto neste capítulo. Em seguida, anote o que você pode fazer para superar esse desafio.

OREMOS

Pai celeste, tu criaste e instituíste a família. Ela é projeto teu e eu gostaria de vivê-la alinhado ao teu propósito. Ajuda-me a compreender teus princípios e guia-me, pelo teu Espírito, nessa jornada de entendimento bíblico e aplicação prática das tuas verdades.

Em nome de Jesus eu oro. Amém.

2
FÉ E FAMÍLIA

Anos atrás, viajei de automóvel com minha família, a fim de visitar meus sogros. O tempo previsto para a nossa viagem era de nove horas. Na época, meu filho Israel tinha 4 anos e minha filha Lissa, 1 ano. Todo pai sabe como filhos se comportam em viagens longas, fazendo incontáveis vezes a mesma pergunta: "Quanto tempo falta para chegar?". Depois de responder muitíssimas vezes que ainda faltava muito, irritei-me e confrontei meu filho com outro questionamento:

— Filho, de que adianta o papai responder quanto tempo falta? Você não sabe contar o tempo! Ainda que eu diga que falta uma hora, você não tem relógio e não sabe contar as horas! Então, para que me perguntar e eu responder, se você não vai entender?

Israel ficou um tempo calado, enquanto minha esposa me olhava com ar de reprovação. Foi quando meu filho rompeu o silêncio:

— Pai, eu sei que ainda não entendo do tempo, porque sou criança e não sei ver as horas, mas sei que você consegue, de alguma outra forma, explicar quanto tempo falta.

Ante o riso de minha esposa, eu, sem graça, admiti:

— Filhão, você está certo. O papai não precisava ter se irritado. Vou pensar num jeito de explicar isso a você.

Foi quando usei uma ilustração:

— Amigão, sabe aquele desenho animado de que você mais gosta? Imagine que você esteja assistindo a esse desenho e chegue na parte tal [descrevi a cena]. O tempo que leva desse ponto até o fim do desenho é o que falta para chegarmos ao fim da viagem.

Com os olhinhos radiantes, Israel agradeceu:

— Legal, pai, eu sabia que você conseguiria explicar o tempo de algum outro jeito que não fosse só com o relógio!

Percebi não somente a alegria dele, mas também a de minha esposa. Até que, uns dez minutos depois, Israel perguntou:

— Pai, e agora? Em que parte o desenho está?

Finalmente, quando entramos na última reta da rodovia, eu lhe disse:

— Filho, a tela ficou toda escura. Agora começaram a subir as letrinhas brancas.

Então, concluindo o óbvio, ele vibrou:

— Eba! Chegamos!

Aprendi uma lição interessante naquele dia. Não adianta tentar explicar a uma criança algo que ela não compreende com explicações que ela não entende. Precisamos entrar no mundinho dela, falar uma linguagem mais infantil, ilustrando com figuras acessíveis. Esse entendimento me remeteu a outra compreensão: Deus também usa figuras de coisas que conhecemos e entendemos a fim de se revelar a nós. O mais interessante é que, com frequência, o Criador recorre a *figuras da vida familiar* que ilustram quem ele é e como age.

É importante compreendermos que fé e família são assuntos interligados. Na verdade, podemos dizer que são inseparáveis. Quando as Escrituras afirmam que o negligente com a família nega a própria fé (1Timóteo 5.8), estabelecem uma ligação direta e contundente. Muitos cristãos separam uma coisa da outra, achando que podem viver bem a fé em Deus embora maltratem a família. Isso, porém, é impossível. Muitos adoram o Senhor nos cultos da igreja, mas negam a fé ao cometer pecados familiares, a ponto de o apóstolo Pedro advertir os maridos que suas orações podem ser prejudicadas por uma conduta errada no relacionamento com a esposa: "Maridos, vocês, igualmente, vivam a vida comum do lar com discernimento, dando honra à esposa, por ser a parte mais frágil e por ser coerdeira da mesma graça da vida. Agindo assim, as orações de vocês não serão interrompidas" (1Pedro 3.7). Outro exemplo bíblico é a afirmação de que a autoridade de um ministro do evangelho está relacionada à conduta em família (1Timóteo 3.2,4,5). Isso ocorre porque, se fé e família são tão intimamente relacionadas, o ministro não pode ser exemplo em apenas uma das áreas.

Geralmente, um avivamento está relacionado com restauração familiar. Deus falou por meio do profeta Malaquias: "Mas para vocês que temem o meu nome nascerá o sol da justiça, trazendo salvação nas suas asas [...]. Ele converterá o coração dos pais aos seus filhos e o coração dos filhos aos seus pais, para que eu não venha e castigue a terra com maldição" (Malaquias 4.2,6). Fica claro que não há como separar fé e família.

Já mencionei que, por muito tempo, acreditei que o Senhor abençoava a família por causa da importância que ela tem *para nós*. Porém, concluí que Deus abençoa a família, primeiramente, porque ela é importante para ele! Resta-nos perguntar: o que a faz tão especial assim? Por que o Senhor protegeu a família dessa forma, com mandamentos específicos que geram bênçãos aos que os guardam e juízo aos que os desobedecem? A resposta é: porque Deus usa a família para se fazer conhecido.

DEUS USA FIGURAS FAMILIARES PARA SE REVELAR

Devido à grandiosidade de seus pensamentos (Isaías 55.8,9) e à limitação de nosso entendimento espiritual (1Coríntios 2.14), Deus precisa comunicar-se conosco por meio de figuras de linguagem que conseguimos entender. Quais ele escolheu? Em muitos casos, figuras relacionadas à vida em família.

Para expressar seu amor, o Senhor usa como exemplo um dos mais altos níveis de amor que o ser humano conhece: o amor de mãe, o amor sacrificial. Ele mostra que, ainda que o amor materno venha a falhar, seu amor nunca falha: "O SENHOR responde: 'Será que uma mulher pode se esquecer do filho que ainda mama, de maneira que não se compadeça do filho do seu ventre? Mas ainda que esta viesse a se esquecer dele, eu, porém, não me esquecerei de você' " (Isaías 49.15).

Com o propósito de mostrar o desejo do Pai celeste de dar-nos o melhor, Jesus ensinou que ele é melhor e mais generoso que um pai terreno: "Ou quem de vocês, se o filho pedir pão, lhe dará uma pedra? Ou, se pedir um peixe, lhe dará uma cobra? Ora, se vocês, que são maus, sabem dar coisas boas aos seus filhos, quanto mais o Pai de vocês, que está nos céus, dará coisas boas aos que lhe pedirem?" (Mateus 7.9-11).

Já para explicar a correção e a disciplina de Deus, encontramos um paralelo bíblico com o relacionamento entre pais e filhos:

> E vocês se esqueceram da exortação que lhes é dirigida, como a filhos: "Filho meu, não despreze a correção que vem do Senhor, nem desanime quando você é repreendido por ele; porque o Senhor corrige a quem ama e castiga todo filho a quem aceita". É para disciplina que vocês perseveram. Deus os trata como filhos. E qual é o filho a quem o pai não corrige?
>
> Hebreus 12.5-7

A Bíblia também apresenta alegorias familiares para revelar um pouco mais sobre quem Deus é. Um exemplo são estas palavras de Paulo:

> Mulheres, sujeite-se cada uma a seu marido, como ao Senhor, pois o marido é o cabeça da mulher, como também Cristo é o cabeça da igreja, que é o seu corpo, do qual ele é o Salvador. Assim como a igreja está sujeita a Cristo, também as mulheres estejam em tudo sujeitas a seus maridos. Maridos, ame cada um a sua mulher, assim como Cristo amou a igreja e entregou-se por ela para santificá-la, tendo-a purificado pelo lavar da água mediante a palavra, e para apresentá-la a si mesmo como igreja gloriosa, sem mancha nem ruga ou coisa semelhante, mas santa e inculpável. Da mesma forma, os maridos devem amar cada um a sua mulher como a seu próprio corpo. Quem ama sua mulher, ama a si mesmo. Além do mais, ninguém jamais odiou o seu próprio corpo, antes o alimenta e dele cuida, como também Cristo faz com a igreja.
>
> Efésios 5.22-29, NVI

A importância da família não é determinada apenas pelo que ela é em si — uma instituição divina que proporciona realização, alegria, amor, aceitação, carinho, cuidado e proteção —, mas, também, por ser um instrumento para transmitir à humanidade uma revelação mais profunda de Deus.

Afinal, nossa visão familiar afeta diretamente a compreensão que teremos sobre Deus.

Lembro de uma situação que aconteceu durante um momento de culto, muitos anos atrás, quando eu pastoreava em Guarapuava (PR). Em certo instante, senti o forte impulso de sair de meu lugar e ir até fundo da igreja, para dar um abraço em um irmão muito querido que congregava conosco. Foi estranho para mim, pois parecia que eu simplesmente *tinha* de fazer aquilo! Minha mente lutava, racionalizando, contra o impulso que havia em meu coração, mas obedeci ao que acreditava ser uma direção do Espírito Santo.

Ao chegar ao lugar em que o irmão louvava o Senhor, cutuquei-o, ainda sem graça, e expliquei: "Pode parecer estranho, mas Deus me enviou aqui para lhe dar um abraço". Sem entender direito o que acontecia, o abracei com força. Naquele instante, o irmão começou a chorar profundamente. Um pouco sem jeito, esperei o choro acabar.

Assim que aquele homem se recompôs, pedi que me contasse o que havia acontecido, uma vez que era evidente que algo incomum ocorrera naquele momento. Ele relatou que, desde que começara a frequentar aquela igreja, sentia-se muito incomodado pela maneira com que nos referíamos a Deus, com tratamentos como "Papai", "Paizão" e "Paizinho". Depois, explicou que seu pai terreno nunca fora uma pessoa amorosa; antes, era rígido na disciplina, injusto e abusivo. Em vez de o elogiar, seu pai o xingava e amaldiçoava. Com isso, sempre que alguém da igreja se referia a Deus como Pai, associando-o a uma figura familiar carinhosa, seu coração se fechava.

Em seguida, aquele homem detalhou o que Deus havia feito em seu coração no momento em que o abracei: enquanto cantávamos, o líder do louvor disse que deveríamos "subir no colo do Papai" e o coração daquele filho magoado se fechou mais uma vez. Naquele instante, ele reconheceu que tinha um problema com a figura paterna e não gostava de pensar em Deus como tal. Por essa razão, clamou ao Senhor dizendo que, se era tão importante conhecê-lo e entendê-lo como Pai, gostaria de fazê-lo sem associá-lo ao seu pai terreno. E concluiu: "Pedi que ele se revelasse como o pai carinhoso e amoroso que não tive e falei sobre meu desejo de receber um abraço do meu Pai celestial. Depois, pensei melhor e orei, dizendo que não precisava ser o próprio Deus, em pessoa, mas que se ele enviasse alguém, em seu nome, reconhecendo ter sido enviado por ele para transmitir-me seu abraço, eu receberia isso como um sinal da importância de reconhecer a paternidade do Senhor".

Que fantástico! Nosso Deus é demais! No instante em que o irmão terminou de fazer a oração, eu já estava ao lado dele, cutucando-o, para entregar-lhe o abraço! E, quando o abracei, ele foi curado em suas emoções. O Espírito Santo começou a arrancar raízes de amargura profundas de sua alma e a sarou.

A visão que temos acerca da instituição familiar, assim como as experiências que tivemos na nossa família, tornam-se uma espécie de filtro por meio do qual enxergamos Deus. Portanto, precisamos viver o modelo divino para a família, uma vez que uma visão familiar distorcida significa incompreensão do ser de Deus em nosso íntimo.

Assim como precisei usar um desenho animado que meu filho conhecia bem a fim de lhe transmitir um conceito difícil de ele entender, o Altíssimo, ao falar conosco, precisa se revelar dentro dos limites de nossa restrita compreensão humana. Creio que, ao criar a família terrena, o Senhor fez o que gosto de chamar de "uma réplica incompleta e imperfeita da família celestial". Afinal, antes mesmo de criar a família terrena dos humanos, ele já existia como família na Trindade. Seu objetivo foi e continua sendo revelar-se a nós.

A FAMÍLIA DE DEUS E A SACRALIDADE DA FAMÍLIA

Muitas pessoas têm dificuldade com o conceito *família de Deus*. Entretanto, o conceito é simples e claramente apresentado nas Escrituras: "Assim, vocês não são mais estrangeiros e peregrinos, mas concidadãos dos santos e membros da *família de Deus*" (Efésios 2.19). Esse versículo torna incontestável o fato de que o Criador possui, sim, uma família. Contudo, nossa forma de olhar para ela nem sempre está correta.

Eu mesmo, por muito tempo, concebia a família celestial somente com a participação e o complemento humano. Minha ideia era que o Pai celestial só passou a ter família porque havia criado a humanidade e adotado filhos. A conclusão era basicamente que a família divina somente se tornara uma família com a chegada dos filhos. Mas essa não é a maneira correta de olhar.

A Trindade é o mais perfeito modelo de família, pois Pai, Filho e Espírito Santo já existiam desde a Eternidade enquanto *família celestial*.

Não podemos, porém, achar que a família celestial é parecida com a terrena, pois esta foi criada com base naquela. Lembrando que, no reino espiritual, não há distinção entre masculino e feminino ou entre marido e esposa. Paulo disse que, em Cristo, não há homem nem mulher (Gálatas 3.28). Podemos dizer que a diferença dos integrantes de uma família terrena está relacionada, especialmente, à questão da reprodução. No mesmo sentido, Jesus também disse que, na ressurreição, quando não houver mais a atual forma de vida terrena, as pessoas não se casarão, nem se darão em casamento, pois seremos como os anjos nos céus (Mateus 22.30).

Na família terrena, a mãe reproduz características e funções que o Espírito Santo exerce na família celestial, principalmente a de gerar vida. O responsável pela gestação da vida espiritual é o Espírito Santo, tanto que Paulo menciona a Tito "o lavar regenerador e renovador do Espírito Santo" (Tito 3.5).

Na família celestial, o Espírito Santo é a fonte de consolo, isto é, o "Consolador" (João 14.16,26; 15.26; 16.7). Não que o Pai e o Filho não possam consolar, porque a Bíblia também relaciona consolação a eles; mas o principal responsável por desempenhar essa função na Trindade é o Espírito Santo. Assim também é na família terrena. Embora o pai possa, em algum momento, exercer essa função, ninguém é tão "especialista" quanto a mãe. O próprio Deus reconhece isso: "Tal como a mãe consola o filho, assim eu os consolarei" (Is 66.13). É curioso observar que, assim como problemas com o pai terreno podem gerar dificuldades de reconhecimento da paternidade do Pai celestial, aqueles que tiveram sérios problemas de relacionamento com a mãe também apresentam, depois da conversão, grande dificuldade de relacionar-se com a pessoa do Espírito Santo.

Portanto, é possível constatar, a partir das Escrituras e por experiência, que a percepção de um indivíduo sobre a família terrena afeta diretamente sua percepção sobre Deus. Essa é a razão de eu crer que o motivo que leva o Senhor a tratar de forma tão séria as questões familiares é o fato de elas afetarem diretamente nosso relacionamento com ele.

Examinando a Bíblia, você descobrirá que a família não é sagrada em si mesma, mas em seu propósito de conectar-nos com Deus, facilitando nossa compreensão sobre ele. Isso fica claro quando compreendemos o conceito de casamento conforme Paulo expôs: "E aos solteiros e às viúvas, digo que lhes seria bom se permanecessem no estado em que também eu vivo. Mas, se não conseguem se dominar, que se casem; porque é melhor casar do que arder em desejos" (1Coríntios 7.8,9). O apóstolo aborda a questão de casar ou não de maneira nada romântica. Ele diz que seria bom se alguns não casassem, mas, se não conseguem conter o desejo sexual e, com isso, acabam pecando contra o Senhor, então é melhor que se casem. Em seguida, diz Paulo:

> O que eu realmente quero é que vocês fiquem livres de preocupações. Quem não é casado cuida das coisas do Senhor, de como agradar ao Senhor. Mas o que se casou cuida das coisas do mundo, de como agradar à esposa, e assim está dividido.
>
> Também a mulher, tanto a viúva como a virgem, cuida das coisas do Senhor, para ser santa, assim no corpo como no espírito. Mas a mulher casada se preocupa com as coisas do mundo, de como agradar ao marido.
>
> Digo isto para o próprio bem de vocês, não para impor limitações, mas tendo em vista o que é decente e para que vocês possam se consagrar ao Senhor, sem distração alguma.
>
> 1Coríntios 7.32-35

Resumindo: se o fato de você ficar solteiro o ajuda em seu relacionamento com Deus, opte por isso. Se o faz pecar, fuja! Muitos cristãos tornaram a família sagrada em si mesma, mas não é o que a Palavra de Deus ensina. Se sua família o ajuda a entender o Senhor e a relacionar-se melhor com ele, tudo bem. Todavia, se ela se opõe ao seu relacionamento com ele, a conversa é completamente diferente. Jesus disse:

> Não pensem que eu vim trazer paz à terra; não vim trazer paz, mas espada. Pois vim causar divisão entre o homem e o seu pai; entre a filha e a sua mãe e entre a nora e a sua sogra. Assim, os inimigos de uma pessoa serão os da sua própria casa. Quem ama o seu pai ou a sua mãe mais do que a mim não é digno de mim; quem ama o seu filho ou a sua filha mais do que a mim não é digno de mim.
>
> Mateus 10.34-37

A família terrena, ainda que importante, não é e nunca será mais importante que o próprio Deus! Hoje, entendo que, ao estabelecer mandamentos familiares e lidar de forma séria com a obediência ou a desobediência a cada um deles, o propósito divino não foi somente melhorar a qualidade da vida emocional humana, mas, acima de tudo, levar o homem a ter a visão correta sobre a família.

RESTAURAÇÃO DA VISÃO CORRETA SOBRE A FAMÍLIA

Acho impressionante como a visão sobre a família afeta a relação com Deus. Não significa, de modo algum, que quem não teve uma boa experiência familiar esteja fadado ao fracasso na vida espiritual, mas que é necessário um reaprendizado, uma reformulação das percepções. A Bíblia diz que o cumprimento da vontade de Deus está relacionado à renovação da mente (Romanos 12.1,2), isto é, à mudança de paradigmas. Portanto, precisamos ser reprogramados segundo os valores da Palavra de Deus!

Houve uma época em que eu não ensinava sobre casamento aos que não eram casados ou que não tinham planos de casar. Quanto ao primeiro grupo, logo percebi meu erro, já que o solteiro deve aprender tudo o que puder sobre casamento *antes* de casar. Porém, demorei um pouco mais para mudar de opinião quanto ao segundo grupo. Afinal, eu não via a necessidade de ensinar o que a Bíblia diz sobre matrimônio e vida conjugal a quem expressamente declarava desinteresse no casamento, como viúvos e celibatários.

Nos últimos anos, no entanto, o Senhor tem me corrigido e ensinado a esse respeito. Mesmo quem não se casará precisa entender os princípios bíblicos sobre casamento. Os que, casados ou não, não planejam ter filhos também devem ser ensinados biblicamente acerca da relação entre pais e filhos, pois o propósito de entender a visão bíblica sobre família vai além de viver bem com os parentes; tem a ver com desenvolver a visão correta sobre Deus e frutificar no relacionamento com ele.

Há situações em que não há mais como restaurar um relacionamento. É o caso, por exemplo, de um filho cujo pai já morreu. Porém, se esse filho tiver a visão sobre a família transformada, à luz da Palavra de Deus, poderá experimentar restauração dos sentimentos com relação ao pai que já se foi e dos reflexos que afetaram o relacionamento com o Pai celestial.

PARA REFLEXÃO

1. No plano divino, qual é o propósito da família?

2. Se a família é uma lente através da qual enxergamos Deus, seria justo afirmar que a maneira como vivemos a vida familiar pode determinar a dimensão de revelação divina que os familiares terão?

3. Uma vez que ninguém foi criado em "famílias perfeitas" (que sequer existem), como devemos lidar com as imperfeições de nossos familiares? Como reagir àquilo em que falharam conosco?

MEU MAIOR DESAFIO

Escreva, no espaço abaixo, a sua principal dificuldade para pôr em prática o que é proposto neste capítulo. Em seguida, anote o que você pode fazer para superar esse desafio.

OREMOS

Pai eterno, eu preciso da obra interior e personalizada do teu Santo Espírito. Sei que ele conhece bem as minhas deficiências e a necessidade de aplicação prática da tua Palavra. Também sei que o Espírito Santo foi enviado para me ajudar e consolar. Por isso eu te peço: trata profundamente das minhas emoções e da imagem de família que se formou dentro de mim. Abre meus olhos espirituais e concede-me, pelas Escrituras, a revelação correta da família, ajudando-me a vivê-la plenamente.

Eu oro em nome de Jesus. Amém.

3

PECADOS FAMILIARES

Aos 15 anos, ouvi uma história que, apesar de muito simples e infantil, abriu meus os olhos para algo importante. Eu estava conversando com um pastor sobre as lutas contra o pecado que o adolescente geralmente trava, e, em algum momento, comentei como era reconfortante a ideia de que servimos um Deus perdoador. Apesar de eu estar falando uma verdade bíblica inquestionável, creio que deixei transparecer um entendimento um pouco equivocado sobre como devemos nos relacionar com a questão do pecado e do perdão de Deus, pois, imediatamente, aquele pastor passou a me narrar uma história.

Disse ele que havia um garoto cuja mãe não o conseguia controlar. Depois de inúmeras tentativas frustrantes de corrigir o menino, ela resolveu mexer em algo que se destacava como uma característica singular da criança: seu lado narcisista. Ela havia presenteado o filho com uma foto dele em tamanho de pôster, enorme, que o jovem amava. Decidida a fazer o menino repensar sua rebeldia, a mãe disse que, a partir daquele momento, ela pregaria uma tachinha no pôster do menino a cada ato de desobediência. Certo dia, o menino entrou em seu quarto e ficou surpreso por quase não conseguir enxergar o próprio rosto no pôster, tamanha a quantidade de tachinhas fincadas nele! O choque causado pela cena o ajudou a perceber quanto ele vinha errando e magoando sua mãe. Sinceramente arrependido, o garoto pediu perdão e disse que gostaria de agir de forma diferente, o que fez que a mãe não apenas o perdoasse, mas, também, removesse todas as tachinhas! Só que, ao fazer isso, o pôster ficou salpicado de furinhos. Moral da história: os nossos erros, ainda que perdoados, deixam consequências.

Entendi imediatamente que, apesar de saber que servia a um Deus que perdoa os meus pecados, eu não podia "brincar" de pecar, confiando no perdão que viria depois. É melhor não pecar do que errar e ser restaurado, pois o perdão divino restaura a nossa comunhão com o Senhor, mas não anula as consequências que, inevitavelmente, virão a se manifestar. A Palavra de Deus é muito clara com relação a isso.

Vejamos esse princípio em três exemplos bíblicos de indivíduos ou grupos de pessoas que pecaram e colheram as consequências de seus atos, até mesmo depois de terem sido perdoadas. Primeiro, os israelitas que saíram do Egito. Quando eles se recusaram a crer que herdariam a terra prometida, despertaram a ira do Senhor, a ponto de ele querer destruí-los (Números 14.11,12). Mas Moisés intercedeu por eles, suplicando o perdão divino, e foi ouvido em sua oração (Números 14.13-20). Deus perdoou o pecado daqueles homens e mulheres, mas, junto com o perdão, anunciou qual seria a consequência da transgressão (ainda que já perdoada):

> O Senhor respondeu: "Eu o perdoei, conforme você pediu. No entanto, juro pela glória do Senhor, que enche toda a terra, que nenhum dos que viram a minha glória e os sinais milagrosos que realizei no Egito e no deserto e me puseram à prova e me desobedeceram dez vezes — nenhum deles chegará a ver a terra que prometi com juramento aos seus antepassados. Ninguém que me tratou com desprezo a verá".
>
> Números 14.20-23, NVI

Outro exemplo é o de Davi. Mesmo perdoado pelo pecado cometido contra Bate-Seba e Urias, ele ouviu do Senhor uma sentença de julgamento. Isto é evidente na palavra profética recebida depois do seu pecado:

> "Por que, então, você desprezou a palavra do Senhor, fazendo o que era mau aos olhos dele? Com a espada você matou Urias, o heteu. Você tomou por esposa a mulher dele, depois de o matar com a espada dos filhos de Amom. Agora, pois, a espada jamais se afastará da sua casa, porque você me desprezou e tomou a mulher de Urias, o heteu, para ser sua mulher."

> Assim diz o SENHOR: "Eis que farei com que de sua própria casa venha o mal sobre você. Tomarei as suas mulheres à sua própria vista e as darei a outro homem, que se deitará com elas em plena luz do dia. Porque você o fez em segredo, mas eu farei isso diante de todo o Israel e em plena luz do dia."
>
> 2Samuel 12.9-12

Ainda que Deus houvesse perdoado Davi e dito que ele estava livre da morte, outras consequências foram claramente anunciadas. O rei foi avisado de que a espada jamais se apartaria da sua casa e ele provou a dor de ver um filho matando outro. A vida de Davi e de sua família tornou-se uma grande confusão depois desse fato e, na rebelião de Absalão, a profecia teve seu cumprimento final, quando as concubinas de Davi foram tomadas pelo filho e humilhadas à vista de Israel.

Todo pecado, mesmo perdoado por Deus, deixa consequências. Sempre haverá a colheita daquilo que plantamos. O perdão divino remove a culpa, mas as consequências certamente se manifestarão, ainda que aplacadas pela misericórdia divina.

O terceiro exemplo de que pecados perdoados deixam consequências pode ser visto na vida de Paulo, que, antes de sua conversão, perseguiu a Igreja de Cristo como poucos (Atos 8.3; 1Coríntios 15.9). Sabemos que, ao encontrar-se com Jesus, Paulo foi perdoado de todos os seus pecados. No entanto, assim que Paulo se converteu, Ananias recebeu uma palavra profética do Senhor a respeito dele: "Pois eu mesmo vou mostrar a ele quanto deve sofrer pelo meu nome" (Atos 9.16). Minha opinião é que esse sofrimento seria a colheita resultante do plantio de Paulo, que, no passado, havia infligido a outros os mesmos sofrimentos que a Bíblia registra que ele experimentou e que, em sua maioria, diziam respeito à perseguição por causa do nome de Jesus.

Todo cristão precisa entender a questão das consequências do pecado, especialmente antes de decidir transgredir a vontade de Deus — com foco nos pecados cometidos contra a família, que chamo de "pecados familiares". Com isso, pretendo mostrar o valor e a importância da família, e conduzir ao arrependimento cada leitor que ainda não se conscientizou da gravidade de suas transgressões. Não estou tentando ressuscitar pecados nem trazer condenação sobre quem Deus já justificou. O que desejo é que a abordagem deste capítulo gere temor, a fim de ajudar você a resistir às tentações.

PECADOS DA RELAÇÃO ENTRE PAIS E FILHOS

Vimos anteriormente que a honra de um filho aos seus pais atrai longevidade e prosperidade (Efésios 6.2,3). O que muitos não percebem é que a desonra aos pais produz o efeito inverso: encurta os dias da vida dos que cometem esse tipo de pecado e os impede de prosperar. Provérbios mostra como o juízo é duro sobre quem amaldiçoa seus pais: "Se alguém amaldiçoa o seu pai ou a sua mãe, a sua lâmpada se apagará na mais densa escuridão" (Provérbios 20.20).

Segundo o profeta Malaquias, as consequências de pecados num relacionamento entre pais e filhos podem ir além das famílias envolvidas e atingir toda uma nação: "Ele converterá o coração dos pais aos seus filhos e o coração dos filhos aos seus pais, para que eu não venha e castigue a terra com maldição" (Malaquias 4.6).

Muitas pessoas colhem os frutos amargos de seus pecados familiares, sem conseguir prosperar em nada. Mas, quando há arrependimento e mudança de coração e atitude, certamente o quadro é revertido. Por isso, devemos entender os princípios divinos para a família e nos alinhar à Palavra de Deus, com arrependimento dos nossos erros e uma nova atitude de obediência ante os mandamentos familiares.

Por outro lado, os pais também receberam mandamentos de Deus: são advertidos a governar bem a sua casa (1Timóteo 3.4,5), criando os filhos no temor do Senhor e sem provocá-los à ira (Efésios 6.4), como trataremos em detalhes mais à frente.

Gostaria de ressaltar dois pecados, em especial, que recebem muito pouca atenção dos cristãos e, por isso, creio ser importante dar-lhes atenção especial: a visão da nudez de um pai — ou mãe — e o incesto.

Ainda que, em alguns textos bíblicos, a restrição quanto a vermos a nudez dos nossos pais esteja associada a relações sexuais incestuosas, há exemplos bíblicos em que fica claro como é errado contemplar a nudez dos familiares. O maior exemplo disso é o caso de Noé, que, ao embriagar-se, foi visto nu por seu filho Cam:

> Sendo Noé agricultor, passou a plantar uma vinha. Bebendo do vinho, embriagou-se e ficou nu dentro de sua tenda. Cam, pai de Canaã, vendo a nudez do pai, foi contar isso aos seus dois irmãos, que estavam do lado de fora.

> Então Sem e Jafé pegaram uma capa, puseram-na sobre os seus próprios ombros e, andando de costas e com os rostos desviados, cobriram a nudez do pai, sem que a vissem. Quando Noé despertou do seu vinho, soube o que o filho mais moço havia feito. Então disse: "Maldito seja Canaã; seja servo dos servos para os seus irmãos".
>
> Gênesis 9.20-25

Observe que Noé amaldiçoou seu filho por ter visto sua nudez. Seus irmãos também condenaram a atitude, ao agir de forma completamente diferente. Cresci sendo orientado por esse princípio: meus pais nunca permitiram que tomássemos banho com eles e me ensinaram a fazer o mesmo com meus filhos. Creio que essa medida tem razões não apenas psicológicas, mas, acima de tudo, espirituais.

Com relação ao incesto, isto é, o relacionamento sexual entre parentes, o Senhor estabeleceu limites muito claros, classificando tal prática como vergonhosa (Levítico 18.6-17). Mesmo tendo Deus falado abertamente contra o incesto, é impressionante como o número de pessoas que sofrem abusos sexuais na infância é alarmante. A maior parte dos casos acontece em um ambiente familiar, e o abusador em geral é alguém da família, como irmãos mais velhos, primos, padrastos, avós e, até mesmo, um dos pais.

Esses pecados sempre trarão consequências. Levítico deixa claro que Deus não apenas proibiu o incesto, como advertiu sobre o que esse tipo de pecado produz: "Se um homem tomar a mulher de seu irmão, isso é impureza; envergonhou o seu irmão; ficarão sem filhos. Guardem, portanto, todos os meus estatutos e cumpram todos os meus juízos, para que a terra para a qual eu os estou levando, para nela habitar, não os vomite de lá" (Levítico 20.21,22).

PECADOS DA RELAÇÃO ENTRE O CASAL

Os pecados familiares não somente nos privam das bênçãos divinas, mas interrompem a comunhão e a comunicação com o Senhor:

> Há outra coisa que vocês fazem: Enchem de lágrimas o altar do SENHOR; choram e gemem porque ele já não dá atenção às suas ofertas nem as aceita com prazer. E vocês ainda perguntam: "Por quê?" É porque o SENHOR é testemunha entre você e a mulher da sua mocidade, pois você não cumpriu

a sua promessa de fidelidade, embora ela fosse a sua companheira, a mulher do seu acordo matrimonial.

Malaquias 2.13,14 , NVI

A infidelidade conjugal traz consigo sérias e graves consequências (Êxodo 20.14; 1Tessalonicenses 4.6; Hebreus 13.4). Apocalipse revela que só entrarão na Cidade Santa os que lavaram as suas vestes no sangue do Cordeiro, e entre os pecados elencados que vetam o acesso a ela estão as imoralidades sexuais: "Felizes os que lavam as suas vestes, e assim têm direito à árvore da vida e podem entrar na cidade pelas portas. *Fora ficam* os cães, os que praticam feitiçaria, *os que cometem imoralidades sexuais*, os assassinos, os idólatras e todos os que amam e praticam a mentira" (Apocalipse 22.14,15, NVI). A palavra em grego que foi traduzida por "imoralidades sexuais" é *pornos* e normalmente é traduzida como "impuros", "prostitutos", "adúlteros" ou "imorais". Na verdade, seu significado engloba todo tipo de pecado sexual.

É claro que há perdão para quem adulterou (Jo 8.2-11). Porém, junto com o perdão, vem a ordem específica de Cristo de não pecar mais. Continuar no pecado depois que fomos perdoados significa rejeitar o próprio perdão recebido! Portanto, ainda que haja perdão aos que se arrependem do adultério, também há condenação aos que desprezam o perdão divino e a ordem de pureza no matrimônio, por decidirem, assim, permanecer no adultério. Pecados de ordem sexual são ofensas ao templo do Espírito Santo:

> Fujam da imoralidade sexual. Todos os outros pecados que alguém comete, fora do corpo os comete; mas quem peca sexualmente, peca contra o seu próprio corpo. Acaso não sabem que o corpo de vocês é santuário do Espírito Santo que habita em vocês, que lhes foi dado por Deus, e que vocês não são de vocês mesmos? Vocês foram comprados por alto preço. Portanto, glorifiquem a Deus com o seu próprio corpo.
>
> 1Coríntios 6.18-20, NVI

Além disso, Provérbios adverte contra o envolvimento com uma mulher imoral, que traz sérias consequências:

> Afaste o seu caminho dessa mulher; não se aproxime da porta da casa dela, para que você não dê a outros a sua honra, nem a sua vida a homens cruéis; para que os estranhos não se fartem dos seus bens, e o fruto do seu

> trabalho não acabe em casa alheia. No fim de sua vida você ficará gemendo, quando a sua carne e o seu corpo se consumirem.
>
> Provérbios 5.8-11

A Bíblia aponta claramente que um homem, com esse tipo de pecado, compromete a honra, a longevidade, os ganhos materiais e a saúde. O pecado de imoralidade pode ser o adultério (cometido por alguém casado) ou a fornicação (cometido por um solteiro).

Cobiçar outras mulheres é uma prática condenada desde a época do Antigo Testamento. Porém, ainda que "não cobiçar" fosse um mandamento distinto de "não adulterar", na Nova Aliança a *cobiça* foi classificada por Jesus como *adultério*, ainda que sejam pecados com consequências diferentes:

> Vocês ouviram o que foi dito: "Não cometa adultério". Eu, porém, lhes digo: todo o que olhar para uma mulher com intenção impura, já cometeu adultério com ela no seu coração. Se o seu olho direito leva você a tropeçar, arranque-o e jogue-o fora. Pois é preferível você perder uma parte do seu corpo do que ter o corpo inteiro lançado no inferno. E, se a sua mão direita leva você a tropeçar, corte-a e jogue-a fora. Pois é preferível você perder uma parte do seu corpo do que o corpo inteiro ir para o inferno.
>
> Mateus 5.27-30

É lógico que essa passagem se aplica a pessoas de ambos os sexos. Embora, em geral, o homem seja muito mais despertado pelo que vê do que a mulher, o princípio espiritual aplica-se aos dois. Isso é especialmente importante em nossos dias, nos quais a família tem sido bombardeada de todas as formas possíveis. A sociedade, tolerante aos apelos sensuais em qualquer tipo de mídia, produz todo tipo de lixo visual, de propagandas de televisão a vídeos explícitos *on-line*. Muitos começam adulterando no coração, e, como "um pouco de fermento leveda toda a massa" (Gálatas 5.9), acabam avançando até praticarem atos sexuais ilícitos.

A área da cobiça pede de nós extrema vigilância. Jó declarou: "Fiz acordo com os meus olhos de não olhar com cobiça para as moças" (Jó 31.1, NVI). É preciso santificar nossos olhos! Os pecados nessa área têm desencadeado muitos outros e, de forma trágica, destruído casamentos.

Precisamos tratar do assunto de forma sábia e equilibrada. Em seu livro *Pastoreamento inteligente*, o pastor Marcos de Souza Borges, o Coty, faz uma clara distinção entre *atração* e *intenção* impura. Na obra, ele afirma que atração é a base da tentação, enquanto intenção é a base do pecado, uma vez que atração e tentação são involuntárias e intenção e pecado são frutos de decisões tomadas conscientemente.

Coty afirma que a chave para lidar com a tentação é não se entreter com ela, e alerta para o perigo de confundi-la com o pecado: se a pessoa tentada acredita, equivocadamente, que já pecou, isso pode se tornar um falso pretexto para ir adiante, segundo o pensamento: "Já que pequei em pensamento, vou até o fim". Coty alerta para a importância de compreender que a atração é algo instintivo, natural, biológico e hormonal, e todo ser humano convive com ela. Já a intenção é moral, por ser fruto de uma escolha. O pecado é, portanto, uma questão de intenção e não de atração.

Vale ressaltar que o adultério não é o único pecado da relação do casal que interfere na vida espiritual, há outros, como o desamor (Efésios 5.25-29), o trato ríspido (Colossenses 3.19) e um comportamento briguento (Provérbios 21.9,19; 27.15). A desonra também tem esse efeito: "Do mesmo modo vocês, maridos, sejam sábios no convívio com suas mulheres e tratem-nas com honra, como parte mais frágil e coerdeiras do dom da graça da vida, de forma que não sejam interrompidas as suas orações" (1Pe 3.7, NVI).

ARREPENDIMENTO

A mensagem bíblica para o pecador não é apenas o anúncio do maravilhoso e gratuito perdão divino, mas, também, uma mensagem de arrependimento. O arrependimento envolve mais do que o reconhecimento do erro: pressupõe o entendimento de quão nocivo foi esse pecado contra Deus, contra os outros e, até mesmo contra a própria pessoa que pecou. Essa é a lição que encontramos na parábola do filho pródigo:

> Então, caindo em si, disse: "Quantos trabalhadores de meu pai têm pão com fartura, e eu aqui estou morrendo de fome! Vou me arrumar, voltar para o meu pai e lhe dizer: 'Pai, pequei contra Deus e diante do senhor; já não sou digno de ser chamado de seu filho; trate-me como um dos seus trabalhadores.' "
>
> Lucas 15.17-19

Esse filho perdido reconheceu que havia pecado em vários níveis: contra Deus, contra o pai (família) e contra si (pois ele também acabou prejudicado). O tratamento de Deus com o nosso pecado envolve mais que perdão e remoção da culpa: o Senhor deseja dar seu toque santificador. Sem arrependimento, porém, esse tratamento mais profundo não é possível. Jesus nos ensinou isso utilizando uma interessante alegoria: "Os sãos não precisam de médico, e sim os doentes. Não vim chamar justos, e sim pecadores, ao arrependimento" (Lucas 5.32).

Jesus fala de si mesmo como um médico. Depois, refere-se aos pecadores como doentes. E, então, menciona que os sãos não precisam de médico. Nesse contexto, um questionamento importante é: a quem Jesus se refere quando fala dos sãos? Sabemos que a Bíblia declara que não há um justo sequer (Salmos 53.3). Logo, Cristo não estava dizendo que há pessoas realmente "sãs" (ou plenamente justas), mas, sim, indivíduos que, equivocadamente, achavam que eram sãos. Para essas pessoas, o "médico celestial" nada tem a fazer, pois somente quem reconhece seus pecados (e a Cristo como Salvador) pode experimentar sua intervenção salvadora.

Por que o profeta Isaías recebeu um toque santificador nos lábios? Porque reconheceu, diante do Senhor, que era um homem de lábios impuros (Isaías 6.5). E Deus só pode tratar com as áreas de nossa vida em que reconhecemos ter falhas.

O arrependimento abre uma avenida de intervenção divina em nós. Essa é uma postura que não apenas abre o caminho para recebermos o perdão, mas é parte de um processo divino que nos mantém afastados dos pecados já cometidos e abandonados, de forma que não voltemos a praticá-los.

PARA REFLEXÃO

1. Os pecados familiares são a quebra dos mandamentos familiares. Antes de tratar do assunto do pecado, vale questionar: por que Deus estabeleceu mandamentos acerca do funcionamento da família?

2. Você acredita que entender a gravidade de algum tipo de pecado poderia servir de alerta para evitá-lo? Se sim, você acredita que essa tenha sido a razão de o Criador nos revelar, em sua Palavra, quais são os pecados familiares e as suas consequências?

3. Por que o arrependimento de um pecado do qual já fomos perdoados pode ser importante? Seria correto dizer que isso nos ajuda a evitar a reincidência dessa prática e a tratar de possíveis consequências?

MEU MAIOR DESAFIO

Escreva, no espaço abaixo, a sua principal dificuldade para pôr em prática o que é proposto neste capítulo. Em seguida, anote o que você pode fazer para superar esse desafio.

OREMOS

Pai, venho a ti em plena confiança de que o sangue de Jesus me abriu um novo e vivo caminho de acesso a tua presença. Sei que as coisas velhas se passaram e tudo se fez novo e, portanto, não há mais condenação após a minha justificação. Entretanto, sei que o arrependimento profundo das práticas passadas é uma "vacina" contra a possibilidade de queda e que a tristeza resultante de entender quanto feri a instituição da família me conduz a uma nova atitude. Por isso, peço, pelo teu Espírito, que me guies nesse processo de arrependimento e restauração.

Em nome de Jesus eu oro. Amém.

4
RESTAURAÇÃO FAMILIAR

Embora o ambiente familiar seja propício para que pessoas se firam emocionalmente, também é onde o Senhor opera grandes intervenções. O apóstolo Paulo escreveu sobre reconciliação familiar: "Aos casados, ordeno, não eu, mas o Senhor, que a mulher não se separe do marido. Mas, se ela se separar, que não se case de novo ou que se *reconcilie* com o seu marido. E que o marido não se divorcie da sua esposa" (1Coríntios 7.10,11).

Deus não se agrada do divórcio. Na verdade, a Bíblia afirma que ele detesta o divórcio (Malaquias 2.16). Embora haja situações em que o divórcio seja inevitável, as Escrituras mostram que a atitude do cônjuge cristão não deveria ser a de "aproveitar a oportunidade" e sair correndo para construir sua vida com outra pessoa, mas, primeiramente, buscar reconciliar-se.

A reconciliação é um milagre que o Senhor deseja operar na vida das pessoas que tiveram relacionamentos feridos ou, até mesmo, destruídos. Não é algo automático ou instantâneo; antes, envolve muitas correções e ajustes, que resultam em glória. Por muitos anos, tenho sido testemunha ocular de incontáveis lares e famílias restaurados pelo poder de Deus e de sua Palavra.

O Senhor declarou que usaria a vida de pessoas para promover a reconciliação familiar. Ao se referir ao papel de João Batista, comparado ao profeta Elias pelo seu tipo de ministério, Deus disse: "Ele *convertera o coração dos pais aos seus filhos e o coração dos filhos aos seus pais*, para que eu não venha e castigue a terra com maldição" (Malaquias 4.6). Deus deseja converter corações endurecidos e distanciados por mágoa e ressentimento, e sarar os relacionamentos familiares. A Bíblia nos mostra isso em vários exemplos bíblicos.

A parábola do filho pródigo é um caso (Lucas 15.11-24). O rapaz traiu e abandonou o pai e a família. Depois de perder tudo, voltou arrependido, esperando ser recebido como um empregado, imaginando ser impossível ter o mesmo relacionamento de antes. Contudo, seu amoroso pai, à semelhança daquilo que Deus faz conosco, recebeu o filho de braços abertos, com todas as honrarias possíveis. Encontramos, nessa alegoria, um quadro do que Deus deseja fazer nas famílias.

O Antigo Testamento apresenta uma história que, embora marcada pela contenda entre dois irmãos, termina com um lindo desfecho de reconciliação: a de Jacó e Esaú: "Esaú passou a *odiar* Jacó por causa da bênção com que seu pai o tinha abençoado. E disse em seu íntimo: — Os dias de luto por meu pai se aproximam; então *matarei meu irmão* Jacó" (Gênesis 27.41). Devido ao ódio de Esaú, Jacó foi obrigado a fugir de casa para preservar sua vida (v. 42-45). Ele acabou passando, aproximadamente, vinte anos distante, mas, ao regressar, ainda temia seu irmão. Por isso, Jacó orou ao Senhor, pedindo que interviesse na situação. O resultado foi semelhante ao que o Senhor deseja produzir nos familiares ressentidos dos nossos dias: "Então Esaú correu ao encontro dele e o abraçou; pôs os braços em volta do pescoço dele e o beijou; e choraram" (Gênesis 33.4).

Também lemos sobre José e seus irmãos, uma família que conheceu a divisão e, posteriormente, a restauração e o perdão:

> Esta é a história de Jacó.
>
> Quando José tinha dezessete anos, apascentava os rebanhos com os seus irmãos. Sendo ainda jovem, acompanhava os filhos de Bila e os filhos de Zilpa, mulheres de seu pai; e trazia más notícias deles a seu pai.
>
> Ora, Israel amava mais José do que todos os seus outros filhos, porque era filho da sua velhice; e mandou fazer para ele uma túnica talar de mangas compridas. Quando os seus irmãos viram que o pai o amava mais do que todos os outros filhos, odiaram-no e já não podiam falar com ele de forma pacífica.

> José teve um sonho e o contou aos seus irmãos; por isso, o odiaram ainda mais.
>
> Gênesis 37.2-5

Em razão dessas diferenças, os irmãos de José o venderam como escravo a uma caravana de mercadores. Anos se passaram e, por fim, José se tornou o governador de todo o Egito. Mas, quando reencontrou seus irmãos, que foram até ele em busca de mantimento, decidiu não se vingar, mas os perdoou e os chamou à restauração do seu relacionamento (Gênesis 45.3,4).

Histórias como essas enchem nosso coração de fé naquilo que Deus pode e quer fazer em prol das famílias. Da mesma forma que o reino das trevas luta para prejudicar as famílias com o mal, assim, também, o reino da luz o faz para proporcionar cura e restauração.

MILAGRE NO CASAMENTO

Certa vez, preguei em um casamento sobre a passagem bíblica das bodas de Caná, e vi essa mensagem contribuir para a restauração de diversos relacionamentos conjugais. Por isso, gostaria de compartilhar algumas lições que extraio desse texto. O episódio das bodas de Caná é o relato de como um casamento foi tocado pelo poder de Deus e de como o seu também pode ser:

> Três dias depois, houve um casamento em Caná da Galileia, e a mãe de Jesus estava ali. Jesus também foi convidado, com os seus discípulos, para o casamento. Tendo acabado o vinho, a mãe de Jesus lhe disse:
>
> — Eles não têm mais vinho.
>
> Mas Jesus respondeu:
>
> — Por que a senhora está me dizendo isso? Ainda não é chegada a minha hora.
>
> Então ela falou aos serventes:
>
> — Façam tudo o que ele disser.
>
> Estavam ali seis potes de pedra, que os judeus usavam para as purificações, e em cada um cabiam cerca de cem litros. Jesus lhes disse:
>
> — Encham de água esses potes.

E eles os encheram totalmente. Então lhes disse:

— Agora tirem um pouco e levem ao responsável pela festa.

Eles o fizeram. Quando o responsável pela festa provou a água transformada em vinho — ele não sabia de onde tinha vindo, por mais que os serventes que haviam tirado a água soubessem —, chamou o noivo e lhe disse:

— Todos costumam servir primeiro o vinho bom e, quando já beberam muito, servem o vinho inferior; você, porém, guardou o melhor vinho até agora!

Assim, em Caná da Galileia, Jesus deu início a seus sinais. Ele manifestou a sua glória, e os seus discípulos creram nele.

João 2.1-11

Esse é o primeiro milagre de Jesus registrado na Bíblia. Creio que não foi em vão o fato de ter acontecido justamente em uma celebração de matrimônio, pois transparece que a família tem prioridade no plano de Deus. Pode ser que o "vinho" acabe em um casamento, mas a presença de Jesus faz toda a diferença, pois milagres acontecem. Jesus faz "vinho novo" surgir onde já não mais havia. A história de um milagre no casamento pode se repetir em nossa vida, pois Jesus nunca muda (Hebreus 13.8) e, uma vez que somos todos amados por Deus, podemos desejar que ele faça por nós algo semelhante ao que tem feito por outros.

O importante é observar que o milagre somente aconteceu em Caná porque Jesus estava presente e porque estava ali antes de o problema surgir. Perceba que ele não foi chamado na última hora somente porque os noivos precisavam de um milagre. Na verdade, ele havia sido convidado para estar com eles antes e, como estava presente, operou o milagre. De maneira semelhante, se você quer um casamento que dure, convide o Senhor para estar sempre presente. Não espere a crise chegar. Cultive sempre a presença dele, por meio de oração, adoração e leitura e meditação na Bíblia. E não apenas leia, mas pratique a Palavra, pois o milagre acontece onde há obediência. Percebemos esse princípio no texto sagrado. Maria disse aos serventes que fizessem tudo o que Jesus mandasse e, como o fizeram sem questionar se aquilo era racional ou não, testemunharam o milagre.

Devemos atentar para a qualidade do vinho que Jesus fez surgir. Ele deu o que havia de melhor, a ponto de o responsável pela festa ficar impressionado. Assim é com grande parte dos relacionamentos conjugais, quando as pessoas bebem o melhor vinho nos primeiros anos. Porém, quando Deus faz um milagre, faz que o melhor surja depois, com o passar do tempo. Deus não é apenas o Criador do matrimônio, é também quem faz toda a manutenção necessária para sua longevidade. Quando isso acontece, não somente somos beneficiados com um lar melhor, mas Deus recebe a glória. O vinho dos lares cristãos deve ser o da mais alta qualidade, seja no início da vida conjugal, seja décadas depois.

Se você reconhece que o "vinho" acabou (ou está quase acabando) em seu matrimônio, creia na vontade de Deus de agir nos casamentos. Renove o pedido a Cristo para que ele esteja em seu lar e seja feliz!

RESGATANDO VALORES DO LAR

Muitos casais chegaram ao ponto em seu casamento em que o "vinho" acabou e parece que só um milagre de Deus pode devolver a alegria conjugal. Outros, porém, não descreveriam seu matrimônio como um caso perdido, mas reconhecem que, ao longo dos anos, acabaram deixando pelo caminho valores fundamentais, que precisam ser resgatados. Para esses, ainda que o desafio não seja o mesmo, há necessidade de restauração.

A Bíblia também oferece orientação prática para esses casos. É importante entender o caminho divino para o resgate dos valores perdidos no lar. E, a fim de entender melhor esses princípios, julgo necessário considerar uma porção do ensino de Jesus: "qual é a mulher que, tendo dez dracmas, se perder uma delas, não acende a lamparina, varre a casa e a procura com muito empenho até encontrá-la? E, quando a encontra, reúne as amigas e vizinhas, dizendo: 'Alegrem-se comigo, porque achei a dracma que eu tinha perdido' " (Lucas 15.8,9).

É interessante notar que Jesus se referiu à perda de algo *de valor* que se deu *dentro de casa*. A mulher não perdeu na rua, mas dentro de sua residência, uma moeda que valia o equivalente a um dia inteiro de trabalho. É curioso observarmos que muitos valores que deveríamos guardar dentro de casa podem ser comprometidos no convívio com os nossos familiares, como respeito, carinho, amor, paciência, compreensão, dedicação, serviço, harmonia, paz e doação de si mesmo. O mesmo ocorre com valores espirituais, como oração, fé, temor de Deus e meditação na Palavra. O processo que aquela mulher utilizou para recuperar a moeda envolveu cinco atitudes, que encontram aplicação análoga para famílias que desejam reencontrar valores perdidos.

Acender a lamparina

Jesus disse que a mulher acendeu a lamparina, isto é, buscou mais luz. Essa é uma atitude necessária para quem deseja reencontrar qualquer tipo de valor perdido, seja no lar, seja na vida com Deus. E, se falamos de valores emocionais e espirituais, fica claro que a luz que nos auxilia na busca é a ação reveladora do Espírito Santo, que traz à luz o que está oculto. Para isso, devemos pedir que o Senhor sonde nosso coração e fale ao nosso íntimo acerca daquilo que não estamos vendo e precisa ser iluminado, revelado.

Varrer a casa

Aquela casa necessitava de limpeza, até porque a provável sujeira que havia naquele chão podia esconder a moeda. Algo semelhante acontece conosco. Muitas vezes, nos expomos demais aos valores do mundo e permitimos que seus conceitos antibíblicos entrem em nossa casa e dominem nosso coração, muitas vezes por meio da influência de não cristãos com quem convivemos. O fato é que, quando a sujeira do mundo entra, ela pode encobrir e esconder de nós aquilo que é valioso. Se quisermos reencontrar tais valores, precisamos nos livrar da sujeira!

Procurar com muito empenho

Aquela mulher procurou com muito empenho o seu valor perdido. Há cristãos que se emocionam e choram ao fim de uma pregação, mas, depois, não dão passos práticos para alcançar o que perderam em sua vida espiritual ou familiar. A mulher da parábola empreendeu uma busca diligente, dedicada. Do mesmo modo, se quisermos algum tipo de restauração em nossa vida, temos de nos empenhar em buscar o Senhor e em fazer a nossa parte nas relações familiares.

Até encontrar

A mulher não apenas se empenhou, mas perseverou. A parábola nos revela que ela não parou de buscar enquanto não encontrou o que havia perdido. Enquanto o empenho tem a ver com a *qualidade* da busca, a perseverança tem a ver com a *duração* da busca. Normalmente, falamos de receber bênçãos de Deus por meio da fé, porém, é importante lembrar que a fé deve sempre vir acompanhada de perseverança: "Assim, não se tornarão displicentes, mas seguirão o exemplo daqueles que, por causa de sua *fé* e *perseverança*, herdarão as promessas" (Hebreus 6.12. NVT).

Alegria pública

Assim que reencontrou o que havia perdido, a mulher reuniu as amigas e vizinhas para que se alegrassem com ela. O testemunho de restauração sempre encorajará outras pessoas, especialmente as que iniciam sua busca pessoal. Tudo o que recebemos de Deus deve ser compartilhado com outros. Paulo declarou: "É ele que nos consola em toda a nossa tribulação, para que, pela consolação que nós mesmos recebemos de Deus, possamos consolar os que estiverem em qualquer espécie de tribulação" (2Coríntios 1.4). A importância de testemunhar das bênçãos divinas com os outros está presente, ainda, nas orientações de Jesus ao homem liberto de demônios em Gadara (Marcos 5.19,20) e à mulher samaritana (João 4.39). Assim que você recuperar o que perdeu, deve tornar o fato público, não apenas como um motivo de alegria, mas, principalmente, para fortalecer e motivar outras pessoas que estejam passando pelo que você passou — e, claro, para glorificar a Deus.

SALVAÇÃO PARA A FAMÍLIA

Acredito que Deus pensa nas famílias em tudo que faz, e entra com provisão para abençoá-las. A família é uma instituição divina e Deus fez muitas promessas que a incluem. Portanto, é natural concluir que há algo especial a ser visto sob esse enfoque que nos ajudará em nossa caminhada de fé.

A salvação oferecida a pessoas como Noé e Ló foram, em momentos de juízo divino, uma clara evidência do plano de Deus para as famílias.

A Páscoa judaica devia ser celebrada em família. A atitude de fé de Raabe gerou salvação para toda a sua casa. E há um versículo importante sobre essa questão: "Eles responderam: — Creia no Senhor Jesus e você será salvo — *você e toda a sua casa*" (Atos 16.31). Vamos compreender melhor essa passagem.

O texto de Atos fala sobre salvação para toda a família do carcereiro da cidade de Filipos logo após ele indagar a Paulo e Silas acerca do que deveria fazer para ser salvo. Tenho visto atitudes erradas na vida de muitos cristãos resultantes de uma compreensão errada desse texto. A passagem não diz que há uma promessa de Deus referente à salvação de todas as famílias de todos os cristãos sem que precisemos fazer nada. Tampouco fala de um processo em que, automaticamente, toda uma família se salva só porque um desses familiares foi salvo. Salvação não se transfere; antes, é pessoal.

O que esse versículo nos mostra é um projeto divino para a família, segundo o qual, quando um de seus membros é salvo, ele passa a ser a "porta de entrada" do reino de Deus para a sua família. Muitos cristãos sequer evangelizam seus parentes ou intercedem por sua salvação por crerem que a salvação virá "por promessa". Porém, o texto de Atos 16.31 não é uma promessa universal, foi algo dito especificamente para aquele carcereiro. O que não quer dizer que nossa fé não possa ser despertada por aquele caso.

Segundo as regras de hermenêutica bíblica, isto é, de interpretação do texto sagrado, precisamos sempre analisar o contexto de determinada fala contida nas Escrituras para entender quem falou, para quem falou e por que falou. No caso, é evidente que aquela era uma palavra específica para um momento específico e não para todo seguidor de Cristo. Isso é ratificado por passagens como 1Coríntios 7.16 ou Lucas 12.51-53, na qual Jesus diz que veio trazer divisão numa casa, isto é, que se alguém decidisse segui-lo, deveria se preparar para a oposição de familiares. O Senhor ensinou claramente que seria necessário ter a disposição de, até mesmo, negar os familiares para mantê-lo em primeiro lugar (Lucas 14.26).

Não desejo semear incredulidade em quem crê na salvação dos familiares, porém, não podemos manipular a Bíblia segundo nossos desejos. O fato é que seus parentes não serão salvos só porque você foi. A condição para a salvação de seus familiares é a mesma que a de qualquer outro pecador: eles precisam se arrepender e crer em Jesus. Aliás, foi o que ocorreu com a família do carcereiro: "E pregaram a palavra de Deus ao carcereiro e a todos os que faziam parte da casa dele. Naquela mesma hora da noite, cuidando deles, lavou-lhes as feridas dos açoites. Logo a seguir, ele e todos os membros da casa dele foram batizados" (Atos 16.32,33).

Depois de saber que Deus queria salvar seus parentes, o homem levou o evangelho de Cristo a eles. Essa é a razão de terem crido e sido batizados. Quem não prega a Palavra para os familiares por achar que, certo dia, eles vão acordar salvos como por um passe de mágica está tremendamente enganado. Não é assim que funciona. Temos de nos mexer, lutar por eles, interceder, dar bom testemunho e anunciar-lhe as boas novas de salvação em Cristo.

CREIA NO PLANO DE DEUS PARA A FAMÍLIA

Quando o apóstolo Pedro sobe a Jerusalém e é indagado a respeito do motivo que o levou a entrar na casa de Cornélio, um gentio, ele explica a mensagem que o centurião recebera do anjo que lhe havia aparecido. Nessa mensagem, fica claro como Deus trata com as famílias e tem um plano para elas: "E ele nos contou como tinha visto na casa dele um anjo, em pé, que lhe disse: 'Envie alguém a Jope e mande chamar Simão, que também é chamado de Pedro, o qual lhe dirá palavras mediante as quais você e toda a sua casa serão salvos' " (Atos 11.13-14).

Embora não haja uma promessa específica de que cada família na qual alguém se converter irá automaticamente ser salva, sabemos que esse é o desejo de Deus. A Bíblia afirma que Deus "deseja que todos se salvem" (1Timóteo 2.4), embora saiba que muitos rejeitarão sua dádiva. O ponto de equilíbrio está em compreender a visão de Deus para a salvação da família e batalhar para que ela aconteça, não em achar que os parentes serão salvos de forma automática. Creio que Deus deseja que cada um de nós encha o peito e afirme com alegria o mesmo que Josué: "Eu e a minha casa serviremos o SENHOR" (Josué 24.15).

Querer ganhar o mundo para Jesus e não se importar com a própria casa é uma violação de mandamentos bíblicos claros (1Timóteo 5.8). Esse cuidado com a família não envolve apenas o sustento natural, que é o contexto dessa afirmação, mas, também, traz em si a preocupação com a condição espiritual dos parentes.

Os projetos que envolvem a salvação de nossa família devem ser prioridade, o que inclui o bom testemunho pessoal: "Igualmente vocês, esposas, estejam sujeitas, cada uma a seu próprio marido, para que, se ele ainda não obedece à palavra, seja ganho sem palavra alguma, por meio da conduta de sua esposa, ao observar o comportamento honesto e cheio de temor que vocês têm" (1Pedro 3.1,2). Quando os pais são cristãos, o desafio é ganhar os filhos: "E vocês, pais, não provoquem os seus filhos à ira, mas tratem de criá-los na disciplina e na admoestação do Senhor" (Efésios 6.4).

Viva sua vida em Deus de forma frutífera e comece pela sua casa. Que o Senhor lhe dê graça para se empenhar pela salvação dos seus!

PARA REFLEXÃO

1. Se foi Deus quem criou a família, é correto afirmar que ele também pode intervir na sua manutenção e restauração?

2. A Bíblia nos apresenta tanto um horizonte de possibilidades de intervenção divina na família como também, de forma honesta, a possibilidade de que não se concretize essa intervenção. Em sua opinião, qual é o motivo pelo qual esses dois quadros são retratados?

3. Como alguém pode lutar pela restauração da família ou pela salvação de seus familiares? Baseado nos princípios apresentados neste capítulo, destaque três elementos que serão importantes na busca desses resultados.

MEU MAIOR DESAFIO

Escreva, no espaço abaixo, a sua principal dificuldade para pôr em prática o que é proposto neste capítulo. Em seguida, anote o que você pode fazer para superar esse desafio.

OREMOS

Amado Deus, eu quero experimentar tanto a restauração familiar como a restauração da minha visão sobre família. Peço-te que me ajude a entender e trabalhar, de forma prática, os passos que me ajudarão nessa jornada. Preciso de socorro e intervenção divina em minha vida e família e, enquanto procuro fazer a minha parte, também clamo pela tua ação sobrenatural.

Em nome de Jesus eu oro e creio. Amém.

Parte 2

O CASAL

5

A ALIANÇA MATRIMONIAL

Em 3 de novembro de 1995, firmei minha aliança matrimonial com Kelly. Ao entrar na igreja, em Guarapuava (PR), tive de controlar uma espécie de riso nervoso de emoção e, logo que vi minha linda noiva na porta, meu coração quase saiu pela boca. Havia muitos sentimentos e emoções aflorando naquele momento tão precioso, compartilhado por familiares, amigos e irmãos em Cristo. Porém, o que talvez tocasse mais fortemente o meu íntimo era um senso de temor, pois estava firmando um compromisso que deveria durar até o fim da vida. No momento em que tomei Kelly como esposa, diante de Deus e dos homens, sabia que era uma decisão sem volta.

Fui criado em um lar em que reinava o temor ao Senhor. Meus pais viveram casados por trinta e quatro anos até a morte de meu pai. Aprendi os conceitos bíblicos na teoria e na prática, pois vi, no ambiente em que fui criado, um matrimônio durar até que a morte os separasse. Por isso, não tive dificuldades de absorver o que significa o conceito divino de aliança matrimonial.

Não podemos deixar que o que norteia o casamento seja afetado por exemplos negativos na família de origem ou pelos valores de uma sociedade cada vez mais distante do que o Criador determinou para a humanidade. Nosso critério tem de ser um só: a Bíblia. Precisamos resgatar os valores bíblicos não apenas para tentar trazer restauração ao casamento de muitos desta geração, mas para evitar desastres conjugais nas próximas gerações. O retrato do comportamento da sociedade atual em relação ao matrimônio chega a ser assustador. Hernandes Dias Lopes comenta:

> Nestes tempos pós-modernos, os próprios alicerces do casamento estão sendo abalados. A geração atual não aceita mais absolutos. Os valores de Deus são desprezados. Os marcos antigos foram arrancados e cada um vive à mercê de suas próprias ideias. Neste mundo plural, pós-moderno e pós-cristão, prevalece a privatização dos conceitos e valores. Cada um estabelece para si mesmo o que é certo e o que é errado. Não existe mais o conceito de uma lei absoluta e universal que rege a conduta e o comportamento. Com isso, a instituição do casamento é desprezada e o concubinato, legitimado; os vínculos conjugais, afrouxados para se estimular o divórcio; a verdade, relativizada para justificar atitudes egoístas. Na verdade, a geração atual espera mais do casamento do que as gerações anteriores, mas o respeita menos. Os vestidos de noiva estão cada vez mais brancos e os véus cada vez mais longos, mas a fidelidade aos votos sagrados do casamento está cada vez mais fraca. Organizar uma cerimônia de casamento está cada vez mais fácil, mas manter o casamento, cada vez mais difícil.[1]

O conceito de aliança matrimonial parece estar desaparecendo. Nossa sociedade vive apenas de contratos rescindíveis, dos negócios ao casamento. Em nossos dias, quando um casal vai ao cartório e se casa aos olhos da lei, está firmando um contrato que depois poderá vir a ser revogado por meio do divórcio. Porém, a Palavra de Deus nos diz que o casamento é uma aliança, um pacto, um compromisso que não deve ser rompido.

Quando o Senhor repreendeu o povo de Israel por meio do profeta Malaquias e revelou seu descontentamento com relação ao divórcio, definiu o conceito de casamento:

> Há outra coisa que vocês fazem: cobrem de lágrimas o altar do SENHOR, com choro e gemidos, porque ele já não olha para a oferta nem a aceita com prazer. E vocês perguntam: "Por quê?" Porque o SENHOR foi testemunha da *aliança entre você e a mulher da sua mocidade*, a quem você foi infiel, sendo ela a sua companheira e *a mulher da sua aliança*. Não fez o SENHOR

[1] LOPES, Hernandes Dias. *Casamento, divórcio e novo casamento.* São Paulo: Hagnos, 2005, p. 97,98.

> somente um, mesmo que lhe sobrasse o espírito? E por que somente um? Porque buscava uma descendência piedosa. Portanto, tenham cuidado para que ninguém seja infiel para com a mulher da sua mocidade. Porque o SENHOR, o Deus de Israel, diz que odeia o divórcio e também aquele que cobre de violência as suas roupas, diz o SENHOR dos Exércitos. Portanto, tenham cuidado e não sejam infiéis.
>
> Malaquias 2.13-16

A esposa foi chamada por Deus de "a mulher da sua aliança", o que deixa claro qual é o enfoque bíblico do casamento. A expressão "a mulher da sua mocidade" merece destaque, pois se refere ao fato de que ela foi a companheira desde o início da vida adulta, e não deveria ser desprezada depois de velha. A razão disso é o fato de que o compromisso da aliança é mais forte do que as circunstâncias, sejam elas problemas ou mera conveniência.

Porém, é importante reconhecer que o pacto matrimonial não é apenas uma aliança dos cônjuges entre si, mas também uma aliança do casal com Deus. Malaquias declarou que Deus é testemunha da aliança do casal, o que também é apresentado em Provérbios: "A sabedoria também o livrará da *mulher adúltera*, da estranha que lisonjeia com palavras, que abandona o amigo da sua mocidade e *se esquece da aliança do seu Deus*" (Provérbios 2.16,17).

Novamente, as Escrituras condenam o abandono ao cônjuge e, nesse texto, assim como em Malaquias, menciona-se a infidelidade. Nesse caso, a mulher é quem foi infiel ao amigo de sua mocidade e foi rotulada como alguém que se esqueceu da aliança de Deus. Portanto, a palavra "aliança", em Provérbios 2.16,17, fala não apenas da aliança entre os cônjuges, mas do pacto deles com Deus, da obediência à lei do Senhor, e do matrimônio como um compromisso do qual Deus deseja participar.

No Antigo Testamento, Deus entrega a Israel dez mandamentos que se destacavam de todos os demais, que foram chamados de "as palavras da aliança": "E Moisés esteve ali com o SENHOR quarenta dias e quarenta noites. Não comeu pão nem bebeu água. E escreveu nas tábuas *as palavras da aliança*, as dez palavras" (Êxodo 34.28). Um desses mandamentos indica que preservar o casamento não é apenas uma obrigação da aliança entre os cônjuges, mas parte do pacto firmado com o próprio Deus: "Não cometa adultério" (Êxodo 20.14).

As ordenanças do Senhor foram registradas no que passou a ser chamado de "o livro da aliança": "Moisés [...] pegou *o livro da aliança* e o leu para o povo. [...] e disse: 'Eis aqui o sangue da *aliança que o Senhor fez com vocês*" (Êxodo 24.4,7,8). Portanto, o casamento é uma *dupla aliança*, entre os cônjuges e entre eles e Deus.

O QUE É UMA ALIANÇA?

No Antigo Testamento, a palavra hebraica que foi traduzida em português por "aliança" é *beriyth* e significa "acordo", "aliança", "compromisso". Em sua raiz, em hebraico, a palavra transmite a ideia de firmar um pacto com sangue:

> Por isso, *nem a primeira aliança foi estabelecida sem sangue*. Porque, havendo Moisés proclamado a todo o povo todos os mandamentos conforme a lei, pegou o sangue dos bezerros e dos bodes, com água, lã tingida de escarlate e hissopo e aspergiu não só o próprio livro, como também todo o povo, dizendo: "Este é o *sangue da aliança* que Deus ordenou para vocês".
>
> Hebreus 9.18-20

O sangue, entre outros simbolismos, evocava conceitos fortíssimos acerca da aliança, como mistura de vida e lealdade até a morte. Considerada sagrada pelos povos antigos, uma aliança não podia ser feita de qualquer forma, mas devia ser realizada utilizando elementos essenciais: juramentos, objetos memoriais e testemunhas. Alguns textos bíblicos explicam por que usamos tais elementos nas cerimônias de casamento:

Os juramentos

Toda aliança envolve um acordo, e os juramentos definem o pacto estabelecido. Deus fez uma aliança com Abraão (Gênesis 17.2-7, 9-14), mencionada em Hebreus:

> Pois, quando Deus fez a promessa a Abraão, visto que não tinha ninguém superior por quem jurar, jurou por si mesmo, dizendo: "Certamente eu o abençoarei e multiplicarei os seus descendentes". E assim, depois de esperar com paciência, Abraão obteve a promessa. Porque as pessoas juram pelo que

lhes é superior, e *o juramento, servindo de garantia*, põe fim a toda discussão. Por isso, Deus, quando quis mostrar com mais clareza aos herdeiros da promessa que o seu propósito era imutável, *confirmou-o com um juramento.*

Hebreus 6.13-17

Deve-se cumprir toda promessa feita. A Palavra de Deus fala sobre quem jura e não muda (Salmos 15.4) e assevera que é melhor não fazer um voto do que fazer e não cumprir (Eclesiastes 5.4,5). A Escritura também apresenta o mandamento de Cristo: "Que a palavra de vocês seja: Sim, sim; não, não. O que passar disto vem do Maligno" (Mateus 5.37).

O conjunto desses textos mostra a importância de se cumprir o que prometemos; logo, toda palavra dada deve ser mantida. Se isso vigora para qualquer promessa, quanto mais um juramento feito por ocasião dos votos matrimoniais!

Quando você prometeu amar seu cônjuge em toda e qualquer situação, sendo fiel até a morte, fez um *juramento* que determinou não só os termos da aliança (amar, ser fiel), mas também as *condições* (em todo tempo e situação, até a morte). Os votos matrimoniais são importantíssimos e devem ser lembrados regularmente.

Objetos memoriais

Temos a tendência de nos esquecermos de compromissos estabelecidos. Por isso, Deus determinou que memoriais estivessem presentes no estabelecimento de alianças, a fim de trazer à memória o que foi firmado. Nas alianças descritas na Bíblia, sempre havia troca de presentes ou entrega de um objeto que servisse como um memorial do pacto firmado.

Abraão, por exemplo, doou carneiros e plantou uma árvore ao fazer aliança com Abimeleque (Gênesis 21.28-33). Jacó e Labão ergueram um monte de pedras como memorial da aliança que firmaram entre si (Gênesis 31.43-53). O próprio Deus, ao fazer uma aliança com a humanidade após o dilúvio, estabeleceu um memorial para sua a aliança: o arco-íris (Gênesis 9.11-16). Jônatas e Davi, ao firmarem aliança, também reconheceram a importância da entrega de objetos memoriais, tanto que o filho de Saul entregou ao filho de Jessé sua capa e suas armas (1Samuel 18.3,4). Jesus, por sua vez, determinou que nos recordássemos dele e de sua aliança conosco comendo do pão e bebendo do fruto da videira (Lucas 22.19,20).

Em nossa cultura, trocamos um tipo de anel que, pelo seu significado, passou a ser chamado de "aliança". Não há nenhum versículo na Bíblia que requeira do casal a troca de alianças, mas fazemos isso porque há base bíblica suficiente para entendermos que o casamento é uma aliança e que toda aliança tem seus objetos memoriais. Como nas alianças relatadas na Escritura havia liberdade para se escolher o memorial utilizado, podemos fazer o mesmo.

Os anéis de ouro que os cônjuges trocam em sua cerimônia matrimonial não apenas visam a lembrar o estabelecimento de uma aliança, mas a *natureza* da aliança do casamento, visto que o ouro remete, simbolicamente, a pureza, incorruptibilidade, durabilidade e preciosidade.

Testemunhas

Desde tempos remotos, na maioria das culturas, a cerimônia matrimonial é realizada em público, na presença de testemunhas. Sempre existiu o conceito de um compromisso firmado não só entre os cônjuges e seus familiares, mas, também, perante a comunidade. As festas e cerimônias tinham como propósito o reconhecimento humano daquela aliança, como ocorreu no episódio das bodas de Caná: "Três dias depois, houve um casamento em Caná da Galileia, e a mãe de Jesus estava ali. Jesus também foi convidado, com os seus discípulos, para o casamento" (João 2.1,2).

Nessa passagem da vida de Cristo, a palavra grega traduzida como "casamento" é *gamos*, que significa grande festa de casamento, banquete matrimonial, festa de núpcias ou, simplesmente, bodas, matrimônio. A palavra era usada tanto para se referir às bodas quanto ao casamento em si. Porém, percebemos, pelo texto bíblico e pelo contexto histórico, que o evento de Caná não era religioso, mas uma festa social, um momento de celebração e reconhecimento de uma aliança estabelecida entre um casal.

Não creio que a cerimônia do casamento tenha, obrigatoriamente, de ser realizada no ambiente físico de uma igreja, como uma cerimônia religiosa, para ser reconhecida como um casamento perante Deus. O casamento é uma instituição divina, e quem se casa — em qualquer lugar e de qualquer forma — está oficialmente casado perante o Senhor. O valor de uma cerimônia, seja no espaço físico de um templo ou não, é tornar pública a aliança do casal. Como pastor, já celebrei, ao longo de décadas, muitos casamentos no âmbito religioso e os aprecio e recomendo, mas não os vejo como obrigatórios.

Nas alianças relatadas na Bíblia, também vemos a presença de testemunhas. Quando Abraão comprou o campo de Macpela para sepultar Sara, seu acordo comercial com Efrom foi firmado na presença de testemunhas: "Então Abraão se inclinou diante do povo da terra e falou a Efrom, *na presença do povo da terra* [...]. Assim, o campo de Efrom [...] a caverna e todo o arvoredo que nele havia, e todo o terreno ao redor passaram a ser propriedade de Abraão, *na presença dos filhos de Hete* [...]."(Gênesis 23.12-18). Observe as expressões "na presença do povo da terra" e "na presença dos filhos de Hete". Elas revelam como era importante a presença de testemunhas para validar todo tipo de acordo e pacto.

Quando Boaz decidiu se dispor como remidor de Noemi, também chamou testemunhas para validar o acordo firmado entre ele e outro parente dela que tinha o direito de remissão antes dele: "Então Boaz disse aos anciãos e a todo o povo: — Hoje *vocês são testemunhas* de que comprei de Noemi tudo o que pertencia a Elimeleque, a Quiliom e a Malom. [...] Hoje *vocês são testemunhas* disso" (Rute 4.9,10).

As testemunhas são parte vital de qualquer aliança, e sua importância é a razão pela qual vemos o próprio Deus declarar ser testemunha da aliança firmada entre o homem e a mulher da sua mocidade — como também da sua quebra (Malaquias 2.14).

A ALIANÇA AOS OLHOS DE DEUS

Deus não fez alianças porque precisasse delas, mas porque desejava que os homens entendessem o próprio compromisso. As palavras "aliança" e "compromisso" podem, muitas vezes, ser interpretadas com parcialidade, em decorrência de uma leitura emocionalmente imatura. Para muitos, o conceito de aliança sugere mais o peso de obrigações do que a ideia de benefícios a serem desfrutados. Contudo, temos de enxergar de modo mais abrangente esse conceito tão importante. Se por um lado é certo que há um compromisso a ser honrado, não menos certo é que há, também, um benefício a ser desfrutado.

Um compromisso conjugal que deve ser sustentado com honra, na alegria e na tristeza, na saúde e na doença, na riqueza e na pobreza, não é um fardo, até porque serve de proteção contra o abandono de ambos os cônjuges. Há quem reaja à mensagem de fidelidade do casamento como se fosse uma enorme proibição à possibilidade de diversão extraconjugal. Porém, é esse mesmo princípio que protege ambos de serem traídos.

Ao firmar alianças com os homens, Deus não quis apenas estabelecer um compromisso deles consigo, mas levar os homens a descansar no compromisso dele conosco. Paulo menciona essas alianças:

> Portanto, lembrem-se de que no passado vocês eram gentios na carne, chamados incircuncisão por aqueles que se intitulam circuncisão, que é feita na carne por mãos humanas. Naquele tempo vocês estavam sem Cristo, separados da comunidade de Israel e estranhos às *alianças da promessa*, não tendo esperança e sem Deus no mundo. Mas agora, em Cristo Jesus, vocês, que antes estavam longe, foram aproximados pelo sangue de Cristo.
>
> Efésios 2.11-13

O Senhor firmou alianças com seu povo justamente para levá-lo a entender a firmeza e a imutabilidade de seus compromissos. As alianças divinas são inquebráveis, e Deus sempre deixou isso claro: "Mesmo que os montes se retirem e as colinas sejam removidas, a minha misericórdia não se afastará de você, e *a minha aliança de paz não será removida*" (Isaías 54.10); "*Não violarei a minha aliança*, nem modificarei o que os meus lábios prometeram" (Salmos 89.34). Deus se referiu às suas alianças como sendo *eternas* (Jeremias 32.40; 33.20,21), isto é, sem prazo de validade.

O Senhor não brinca com seus compromissos, seja cumprindo sua parte nos pactos, seja estabelecendo que não devemos rompê-los. E, como o casamento é, aos olhos de Deus, uma aliança, não podemos tratá-lo de modo diferente do que o próprio Deus trata as alianças que ele firma.

A Bíblia relata certa aliança que Josué e os líderes de Israel firmaram com os gibeonitas, mesmo tendo sido advertido por Deus que não deveriam fazer alianças com os povos cananeus (Deuteronômio 7.1-4). Assim que entraram em Canaã, os israelitas foram enganados pelos gibeonitas, que, com medo de serem destruídos pelo exército invasor, se fingiram de embaixadores de uma terra distante, embora vivessem bem perto. Astutamente, eles se apresentaram como seus servos e pediram que fosse firmada uma aliança entre eles (Josué 9.3-13): "Então os israelitas aceitaram os alimentos deles *e não pediram conselho ao Senhor*. Josué concedeu-lhes paz e *fez com eles a aliança* de lhes poupar a vida; e os chefes da congregação *confirmaram isso com juramento*" (Josué 9.14,15).

O grande erro de Josué e dos demais líderes israelitas foi tomar uma decisão tão séria sem constatar, de fato, quem eram aquelas pessoas. A aliança foi firmada sem que eles buscassem a direção de Deus. Muitos firmam uma aliança matrimonial dessa mesma maneira. Empolgados com a aparência ou a conversa de alguém, não buscam a direção de Deus em oração e espera, e acabam entrando em uma aliança para toda a vida sem pesar o que realmente estão fazendo.

Três dias depois do pacto entre os israelitas e os gibeonitas, a verdade veio à tona, mas, devido ao juramento dos chefes da congregação, Israel não pôde atacá-los. Muitos poderiam concluir que aquela aliança não era legítima, por ter sido firmada como fruto de desobediência e mentira. A questão é que, apesar de tudo, ainda era uma aliança! Se alguém fez uma aliança com outra pessoa e não checou, primeiro, se havia engano e mentira nem buscou a direção de Deus quanto ao assunto, isso não muda o fato de que o pacto foi firmado. E a lição bíblica desse episódio é que, mesmo após a descoberta da verdade, a aliança precisava ser mantida.

Muitos cristãos reivindicam o "direito" ao divórcio alegando terem sido enganados. Alegam que seu cônjuge se comportava de forma diferente antes do casamento e que mentiram a respeito de quem de fato eram. Porém, isso não anula o fato de que uma aliança foi firmada entre eles.

Josué, ao descobrir que havia sido enganado pelos gibeonitas, chegou ao ponto de chamá-los de "malditos" pelo que fizeram (Josué 9.23), mas, ainda assim, se viu obrigado a manter a aliança que havia sido estabelecida. Quando os gibeonitas foram atacados por outros povos cananeus, pediram socorro aos israelitas — como parte dos seus direitos de aliança — e o povo de Deus se viu obrigado a ajudá-los (Josué 10.6-11). É interessante ressaltar algo importante nesse episódio: ao decidirem ser fiéis à aliança que firmaram, ainda que enganados, os israelitas alcançaram o favor do Senhor, que os abençoou na guerra contra os inimigos (Josué 10.12-15).

Vale a pena ver que, nos dias do rei Davi, mais de quatrocentos anos depois de estabelecida essa aliança, Deus continuava exigindo que ela fosse honrada (2Samuel 21.1-14) — prova de que, uma vez firmada, uma aliança precisa ser mantida.

Quem entrou enganado e de forma precipitada em uma aliança matrimonial — até mesmo quebrando princípios divinos e sem buscar a direção do Senhor — precisa entender que, ao lutar por honrar essa aliança, pode esperar pelo favor de Deus, da mesma forma que Josué experimentou a graça e a intervenção divina em seu favor. Por outro lado, o desprezo pelas alianças traz problemas.

A conclusão é que qualquer aliança firmada entre os homens e Deus, incluindo a conjugal, deve ser levada muito a sério. Percebo muita gente desejosa de discutir — ou até mesmo praticar — o divórcio sem o entendimento mínimo do que é, aos olhos de Deus, o matrimônio. Hernandes Dias Lopes expressa a mesma preocupação: "As pessoas estão buscando o divórcio sem antes entender o que as Escrituras dizem sobre o casamento. Se entendêssemos melhor a instituição divina do casamento, buscaríamos menos a fuga dele pelo divórcio".[2]

EFEITOS DA ALIANÇA

Sempre que um pacto matrimonial é firmado, algumas verdades espirituais passam a vigorar para o casal. Gosto de me referir a elas como *efeitos da aliança*. Vamos conhecer a seguir quais são e que responsabilidades trazem para marido e mulher.

Uma só carne

A aliança matrimonial gera uma poderosa força de ligação, isto é, de mistura de vida. Em linguagem bíblica, marido e mulher se tornam "uma só carne". Essa realidade foi apontada inicialmente por Deus no processo de criação (Gênesis 2.24) e ratificada, posteriormente, por Jesus (Mateus 19.4-6) e pelo apóstolo Paulo (Efésios 5.31).

[2] LOPES, Hernandes Dias. *Casamento, divórcio e novo casamento.* São Paulo: Hagnos, 2005, p. 113.

Com a aliança matrimonial, homem e mulher deixam o lar de origem a fim de se unirem. Isso significa que o cônjuge passa a ser mais importante que qualquer outra pessoa, pois o casamento gera uma fusão de vidas, algo que não havia com os pais.

Morte à vida egoísta e independente

Ao se tornarem uma só carne, marido e mulher não podem ter uma visão egoísta e independente da vida. Um solteiro tende a viver apenas para si, mas isso deve cessar com o matrimônio. Ninguém deve casar para ser feliz, mas para fazer seu cônjuge feliz: "Um homem recém-casado não sairá à guerra, nem lhe será imposto qualquer encargo. Durante um ano ficará livre em casa *e fará feliz a mulher com quem se casou*" (Deuteronômio 24.5).

Se cada cônjuge se dedicar à felicidade do outro, ambos serão realizados. Porém, se cada um tentar defender apenas a própria felicidade, o relacionamento se deteriorará e, seguramente, haverá decepção e tristeza. Portanto, ao estabelecer uma aliança matrimonial, marido e mulher devem estar cientes da necessidade de morrer para si mesmos a fim de agradar o cônjuge.

É importante sublinhar que aquele que procura a felicidade do cônjuge alcança a própria felicidade. O apóstolo Paulo declarou: "Assim também o marido deve amar a sua esposa como ama o próprio corpo. *Quem ama a esposa ama a si mesmo*. Porque ninguém jamais odiou o seu próprio corpo. Ao contrário, o alimenta e cuida dele, como também Cristo faz com a igreja" (Efésios 5.28,29). Fica claro: quem alegra o cônjuge, alegra a si mesmo.

Posses comuns

Outro princípio relacionado à aliança matrimonial é o de posses comuns. Se uma das consequências do princípio de ser uma só carne é a mistura de vida, certamente isso inclui bens e as posses, pois não seria possível cogitar que um casal compartilhe a mesma vida, mas não os mesmos bens.

A Palavra de Deus condena a união de um cristão com um incrédulo, o que evidencia que os cônjuges devem ter em comum até a própria fé (2Coríntios 6.14). Quando o casal se une pelos laços do matrimônio, não há mais *meu* salário e *seu* salário, *minhas* contas e *suas* contas, *meus* bens e *seus* bens. Tudo o que é de um passa, automaticamente, a ser do outro, uma nova realidade que exige uma nova dimensão de diálogo e planejamento. É claro que estamos apresentando a visão bíblica e espiritual da aliança matrimonial. Segundo as leis do nosso país, o casamento pode ser firmado com comunhão parcial de bens e separação de bens. A orientação bíblica afeta a maneira como devemos viver o cotidiano, mas não altera as leis federais ou sua aplicação.

Deveres mútuos

A partir do momento em que alguém firma uma aliança matrimonial, algumas coisas devem mudar, a começar pela maneira como se comporta. Paulo escreveu: "Quando eu era menino, falava como menino, sentia como menino, pensava como menino; quando cheguei a ser homem, desisti das coisas próprias de menino" (1Coríntios 13.11). Podemos parafrasear essa afirmação: Quando eu era solteiro, falava como solteiro, sentia como solteiro, pensava como solteiro; quando cheguei a ser casado, desisti das coisas próprias de solteiro.

A aliança matrimonial traz benefícios e responsabilidades: "Que o marido conceda à esposa *o que lhe é devido*, e também, de igual modo, a esposa, ao seu marido. A esposa não tem poder sobre o seu próprio corpo, e sim o marido; e também, de igual modo, o marido não tem poder sobre o seu próprio corpo, e sim a esposa" (1Coríntios 7.3,4). A Escritura afirma, portanto, que o marido deve algo à esposa, e vice-versa. A palavra do original grego traduzida para o português como "devido" é a mesma usada normalmente para se referir a uma obrigação financeira.

Desde a Antiga Aliança, a Bíblia já definia responsabilidades matrimoniais. Na Lei de Moisés, quando a poligamia ainda era tolerada, havia leis acerca de manter os direitos da primeira esposa se o marido casasse com uma segunda. Embora hoje, na Nova Aliança, as Escrituras falem sobre ser "esposo de uma só mulher" (1Timóteo 3.2), desejo destacar a ideia de que havia deveres definidos:

> Mas, se a casar com seu filho, deverá tratá-la como se tratam as filhas. Se ele der ao filho outra mulher, não diminuirá o *mantimento* da primeira, nem os

> seus *vestidos*, nem os seus *direitos conjugais*. Se não lhe fizer *estas três coisas*, ela poderá ir embora de graça, sem ter de pagar nada.
>
> Êxodo 21.9-11

O mínimo que se esperava era que o marido suprisse o aspecto material (comida e roupas); mas também atentasse para os "direitos conjugais". A palavra traduzida do hebraico para "direitos conjugais" é *ownah*, que significava "morar junto", utilizada com o significado de "coabitação", "direitos conjugais". Trata-se da intimidade física entre marido e mulher.

Exclusividade sexual

A mera união física entre um homem e uma mulher não constitui aliança matrimonial. Jesus destacou isso na conversa que teve com a mulher samaritana, quando lhe disse que, embora ela tivesse passado por cinco relacionamentos (que, naturalmente, incluíam relações sexuais), o atual companheiro dela não era seu marido (João 4.16-18).

Como a Lei mosaica permitia o divórcio, Cristo reconheceu como legítimos os cinco primeiros maridos que a mulher havia tido. Porém, mesmo olhando sob o prisma da Antiga Aliança, o homem com quem ela vivia naquele momento não era seu marido, como Jesus ressaltou: "e esse que agora tem não é seu marido". A palavra, em grego, traduzida como "tem" é *echo*, que possui um significado abrangente: "ter", "segurar", "utilizar", "segurar com firmeza", "considerar", "estar unido a alguém pelos laços de sangue ou casamento ou amizade ou dever ou lei", "prender-se ou apegar-se", "estar estreitamente unido a uma pessoa ou uma coisa". Ou seja, mesmo a mulher afirmando não ter marido, Jesus declara que havia alguém que ela estava tentando manter como se fosse marido. Isso revela que somente viver junto com alguém não gera reconhecimento bíblico como um casamento. Apenas manter intimidade sexual com alguém também não significa casamento. É preciso formalizar uma aliança e entrar na instituição divina do casamento.

Não estou insinuando que seja permitido manter uma vida sexual fora do casamento. A intimidade física entre o homem e a mulher pertence exclusivamente à aliança matrimonial. Desde o Antigo Testamento, Deus deixou claro que se solteiros se envolvessem sexualmente deveriam "consertar" sua situação mediante o casamento. A exceção seria em caso de proibição por parte do pai:

> Se alguém seduzir uma virgem que ainda não foi prometida em casamento e tiver relações com ela, pagará seu dote *e a tomará por mulher*. Se o pai dela definitivamente não quiser dar-lhe a moça em casamento, aquele que a seduziu pagará em dinheiro conforme o dote das virgens.
>
> Êxodo 22.16,17

Esse texto também deixa claro que, embora seja parte do matrimônio, o envolvimento sexual, por si só, não faz de um casal marido e mulher. Tanto que o homem que seduzisse uma virgem (isto é, teve relações sexuais com ela) deveria tomá-la como esposa — logo, mesmo tendo mantido relações sexuais, ainda não estavam casados. Na Antiga Aliança, solteiros que se envolvessem sexualmente ainda tinham uma chance de consertar o erro se casando (Deuteronômio 22.28,29). Isso se dá porque o sexo foi criado por Deus para ser praticado exclusivamente no casamento.

A mulher samaritana vivia com alguém que desempenhava funções de marido, mas não era um legítimo esposo. Esse fato nos ajuda a compreender que pessoas que vivem juntas, mas não são casadas, devem regularizar a situação, pactuando-se sob o entendimento bíblico da aliança matrimonial e oficializando o relacionamento perante o Estado.

É importante observar a orientação de Paulo: "Não se privem um ao outro, a não ser talvez por mútuo consentimento, por algum tempo, para se dedicarem à oração. Depois, retomem a vida conjugal, *para que Satanás não tente vocês* por não terem domínio próprio" (1Coríntios 7.5). A advertência ressalta que, se um cônjuge não cumprir as obrigações matrimoniais, o outro pode ficar vulnerável à tentação. Portanto, quebrar a exclusividade sexual é dar lugar a Satanás, em vez de a Deus, na vida conjugal.

Bênção ou maldição

Algumas pessoas, equivocadamente, acreditam que tudo de que precisam para ter a bênção divina no matrimônio é uma cerimônia de casamento na igreja. Contudo, o que traz a bênção de Deus ao matrimônio, ou a afasta, é a maneira como honramos a aliança firmada, ou deixamos de fazê-lo, em cada aspecto e efeito do pacto. Na Antiga Aliança, o Altíssimo explicitou aos filhos de Israel que a obediência aos seus mandamentos traria bênção (Deuteronômio 28.1-14), enquanto a desobediência às suas leis traria maldição (Deuteronômio 28.15-68). Na Nova Aliança, o escritor de Hebreus fala de dois tipos de solo: um que produz fruto por reter a água da chuva e recebe a bênção de Deus e outro que não frutifica e, por isso, está perto da maldição (Hebreus 6.7,8).

É evidente, portanto, em ambas as alianças, o mesmo princípio universal: a observância dos princípios divinos conduz à bênção, enquanto a quebra das leis espirituais conduz à maldição. Deus prometeu estender sua benignidade aos que guardam a sua aliança e se lembram de obedecer aos seus preceitos: "Mas o amor leal do Senhor, o seu amor eterno, está com os que o temem e a sua justiça com os filhos dos seus filhos, com os que guardam a sua aliança e se lembram de obedecer aos seus preceitos" (Salmos 103.17,18, NVI).

Portanto, se queremos viver a plenitude do que Deus tem para nós, precisamos entender e praticar os princípios divinos para o casamento. A aliança deve ser entendida, honrada e guardada.

INSTITUIÇÃO DIVINA

A característica principal do casamento é ser *uma instituição divina* e, como tal, deve ser respeitado. Matrimônio não é meramente uma cerimônia a ser realizada na igreja, até porque, como já expus, não existe nas Escrituras nenhuma instrução acerca de se fazer uma celebração religiosa para oficializar uma união conjugal. Tudo o que a Bíblia mostra é a realização de uma celebração pública, isto é, uma festa, como foi nos casos de Jacó, Sansão e das bodas de Caná. Por outro lado, também não há nada que nos proíba de fazer tais cerimônias, desde que saibamos que elas não sacramentam a união de um casal. Portanto, biblicamente, o casamento é uma instituição divina em seu propósito e independe de uma cerimônia espiritual para que tenha legitimidade.

Desde a criação, Deus desejou que o homem vivesse com uma companheira. Foi o Senhor quem criou homem e mulher, determinou que deixassem os pais e se unissem, constituindo família (Gênesis 2.18-24). Precisamos destacar alguns aspectos importantes acerca do casamento como instituição divina.

Primeiro, a Bíblia afirma que, na criação, o único fato que o Criador reconheceu que não estava bom (ou completo) foi o homem estar sozinho: "não é bom que o homem esteja só". A situação só veio a ficar boa quando Deus cumpriu seu propósito inicial e fez a mulher.

Segundo, desde o início, o Criador reconheceu que o homem precisava de ajuda e, por isso, criou a mulher com o *status* de "ajudadora": "far-lhe-ei uma auxiliadora que lhe seja idônea". Isso comprova que o marido necessita ser ajudado, e deixa claro que Deus planejou que ele tivesse uma esposa que lhe desse assistência. O casamento é uma parceria fantástica, e marido e mulher devem se apoiar mutuamente a fim de alcançarem, juntos, os seus objetivos.

Terceiro, o princípio de uma só carne. Deus determinou que o homem deixe pai e mãe, seu mais profundo vínculo familiar e de afeição, e se una à sua mulher. Isso revela que o casamento não tem pouca importância, pois, depois do relacionamento com Deus, a relação com o cônjuge é a mais importante de sua vida. Quando alguém se casa, corta definitivamente o cordão umbilical e institui a própria família, que, a partir de então, torna-se mais significativa que a de origem.

Resumindo, o casamento é algo que Deus reconhece como *bom*; é uma proposta extraordinária de *parceria* a ser vivida pelo casal e é *mais importante* que o próprio relacionamento com os pais. Além disso, vale ressaltar que Jesus classificou o casamento como uma união divina: "Portanto, que ninguém separe *o que Deus ajuntou*" (Mateus 19.4-6). Cristo declarou que o homem não deve separar aquilo que Deus uniu.

Alguns ensinam que, para ser uma união divina, o casamento tem de ser realizado em uma igreja cristã. Esse, porém, é um pensamento herdado da Igreja Católica e não tem nenhuma base bíblica. Há também quem alegue que não foi Deus quem o uniu ao cônjuge, uma vez que não houve "direção de Deus" ou "aprovação celestial" para seu casamento, um argumento muito usado pelos que querem contrair um novo casamento. Tem gente que chega ao ponto de dizer que foi o diabo quem os uniu, alegando que uma união divina não poderia ser tão infernal como a que eles vivem. Esses equívocos precisam ser evitados e respondidos. Portanto, é de suma importância compreender o que significa a expressão "o que Deus ajuntou".

A palavra grega traduzida em português como "ajuntou" é *suzeugnumi* e significa prender a um jugo, escravizar, juntar, unir em laço do matrimônio. Essa palavra, em si, tem um significado muito forte, mas o entendimento dela no contexto da Bíblia vai além. Quando a Escritura fala sobre o que Deus uniu, remete ao fato de que, desde o princípio da criação, homem e mulher foram feitos com o propósito de deixar os pais e se unirem pela aliança matrimonial. A expressão "o que Deus ajuntou" se refere à instituição divina do casamento, ao estabelecimento universal do matrimônio entre homem e mulher. Logo, não existe a possibilidade de dizer "não sei se foi Deus quem nos uniu".

Quando um casal entra em uma "união divina", não importa se o casamento não foi feito em uma igreja, se não são cristãos ou mesmo se o casamento foi realizado em uma cerimônia ocultista com demônios sendo invocados! Ao se casar, homem e a mulher são inseridos em uma instituição que Deus criou.

QUEM ESCOLHE O CÔNJUGE É O INDIVÍDUO E NÃO DEUS

Embora o casamento seja uma instituição divina, a escolha de com quem entramos nessa instituição é *nossa*. Nós escolhemos com quem nos casamos. Paulo escreveu: "A mulher está ligada ao seu marido enquanto ele viver. Mas, se o marido morrer, ela fica livre *para casar com quem quiser*, mas somente no Senhor" (1Coríntios 7.39). Note a expressão "para casar com quem quiser". A Bíblia não diz "com quem Deus quiser".

Um episódio relatado no Antigo Testamento reforça essa verdade. Um homem chamado Zelofeade teve cinco filhas e nenhum filho. Elas reivindicaram o direito de serem incluídas como herdeiras do pai e receberam a seguinte resposta: "Esta é a palavra que o SENHOR deu a respeito das filhas de Zelofeade, dizendo: *Elas podem casar com quem quiserem*, desde que se casem na família da tribo do pai delas" (Números 36.6). Fica claro que a escolha da pessoa com quem se casa é escolha do indivíduo, desde que seja com alguém que compartilhe de sua fé.

Essa, aliás, é a única restrição bíblica ao universo de escolha: nenhum cristão deve escolher um não cristão para se casar. A quebra desse princípio é chamada de *jugo desigual* e é condenada nas Escrituras:

> Não se ponham em jugo desigual com os descrentes. Pois que sociedade pode haver entre a justiça e a iniquidade? Ou que comunhão existe entre a luz e as trevas? Que harmonia pode haver entre Cristo e o Maligno? Ou que união existe entre o crente e o descrente? Que ligação há entre o santuário de Deus e os ídolos?
>
> 2Coríntios 6.14-16

Jugo é a cangalha que se coloca em animais para que puxem, em dupla, um arado. O jugo desigual é, portanto, colocar animais de diferentes portes atrelados ao mesmo equipamento, o que, evidentemente, os impede de caminhar com tranquilidade. Logo, as Escrituras inferem que pôr um cristão e um não cristão sob o mesmo jugo matrimonial não dá certo e não existe o consentimento de Deus. As palavras "sociedade", "comunhão", "harmonia" e "união" são utilizadas nesse texto bíblico para descrever o que é estar debaixo do mesmo jugo, e todas também se aplicam ao casamento.

Os contrastes que Paulo estabelece revelam o motivo da restrição: "justiça *versus* iniquidade", "luz *versus* trevas", "Cristo *versus* Maligno", "cristão *versus* incrédulo". O questionamento é evidente: por que alguém escolheria se unir a outrem que está sob o senhorio do reino das trevas? Tenho visto pessoas quebrarem esse princípio divino alegando que vão "ganhar seu cônjuge para Jesus". Porém, não existe "casamento missionário". O jugo desigual é uma desobediência deliberada, e a Bíblia não dá nenhuma garantia de que uma pessoa conseguirá converter o cônjuge: "Pois você, ó mulher, como sabe se salvará o seu marido? Ou você, ó marido, como sabe se salvará a sua mulher?" (1Coríntios 7.16).

Para o casamento de um cristão acontecer "no Senhor", não significa ser celebrado em uma igreja ou com uma cerimônia cristã, mas ser com outro cristão. O matrimônio deve unir um homem crente em Jesus com uma mulher que compartilha de sua crença. Pedro lembra aos maridos que suas mulheres também são herdeiras com eles da graça da vida, isto é, irmãs em Cristo (1Pedro 3.7).

É diferente quando uma pessoa se converteu depois de casada, e o cônjuge, não. Mas aqueles que conhecem o princípio bíblico de se casar somente no Senhor e o negligenciam estão deliberada e conscientemente pecando contra a Palavra de Deus.

Muita gente perpetua dentro das igrejas o mito de que o casamento deles foi "feito no céu". Isso não é verdade. Deus pode orientar uma pessoa quanto à melhor escolha, se ela o busca e confia nele, mas a decisão de com quem se casa ainda é do indivíduo. E, depois de casado, a responsabilidade da escolha continua sendo dele. Se fosse Deus quem determinasse os casamentos, os divórcios seriam culpa dele por ter, supostamente, unido as pessoas erradas. Portanto, quando a Bíblia fala sobre o que Deus uniu, está falando sobre todo e qualquer casamento, e não somente sobre alguns.

Como a Bíblia nos diz que devemos obedecer às leis, entendo que o casamento ocorre quando está em conformidade com a lei dos homens (Romanos 13.1,2). Portanto, se a aliança matrimonial deve ser reconhecida, à luz da lei, por um contrato legal, feito em cartório, devemos fazê-lo. Os que se converteram a Cristo e vivem amancebados devem regularizar a sua situação à luz da lei. E, compreendendo os princípios de aliança, também devem pactuar-se sob juramento e com testemunhas.

No Brasil, o aspecto legal do casamento sofreu alterações legais nas últimas décadas. A lei contempla, atualmente, o reconhecimento da união estável. O texto a seguir esclarece as diferenças entre casamento e união estável:

> Ao contrário do que a maioria imagina, o casamento e a união estável têm o mesmo *status*. Ambos são entidades familiares, com o mesmo grau de importância, afirma o advogado Mario Delgado, diretor de Assuntos Legislativos do Instituto dos Advogados de São Paulo (IASP).
>
> O casamento é um ato formal e solene, que requer um processo de habilitação e a celebração por um juiz de paz ou de direito. Quando o casal dá entrada com a documentação, o cartório publica um edital anunciando a intenção dos noivos. Dessa forma, alguém que saiba de algum impedimento pode se manifestar.
>
> "A prova do casamento é documental", afirma Delgado. Ou seja, se há uma certidão, duas pessoas serão consideradas casadas, mesmo que não vivam juntas.
>
> A união estável é um fato social, que não exige documento. Ela pode até ser registrada em cartório, mas não é obrigatório. A união estável se caracteriza pela convivência pública, contínua e duradoura. Sua prova é testemunhal. O zelador do prédio pode, por exemplo, comprová-la.

> Desde a entrada em vigor do novo Código Civil, não se exige mais um tempo mínimo de coabitação.
>
> Outra diferença importante é que o casamento muda o estado civil dos parceiros, o que não ocorre na união estável.
>
> Em ambos os casos, na ausência de contrato escrito, prevalece o regime de comunhão parcial de bens. Mas, na união estável, como não há mudança do estado civil, é possível, por exemplo, comprar um imóvel apenas no nome de uma das partes.
>
> Em caso de separação, aquele que ficou com o imóvel não é obrigado a dividi-lo com o companheiro, já que apenas ele consta como proprietário. O casamento não oferece esse risco.
>
> A desvantagem do casamento, por sua vez, surge no caso de separação, que também exige formalidades. Se houver filhos, o casamento deve ser extinto perante um juiz de direito. O mesmo vale para aqueles casais sem filhos, mas em litígio. Quando não há brigas (nem crianças), o casamento pode ser desfeito por escritura pública. Na união estável, basta o desejo da separação.
>
> No caso de morte de um dos cônjuges, o (a) viúvo (a) está garantido pelo direito de herança. A parte que lhe caberá do patrimônio deixado depende do regime de bens do casamento.
>
> Já na união estável, o(a) companheiro(a) terá de ir à Justiça por seus direitos. "Se alguém quiser beneficiar o companheiro tem de fazer um testamento", explica o advogado Delgado.[3]

Os aspectos retratados nessa reportagem são definições de ordem legal. Mas, para nós, cristãos, qual é a direção correta? Obviamente, é andar e viver pela Palavra de Deus, a nossa lei maior! Portanto, apesar das facilidades da união estável, recomendo a prática do casamento civil. As leis, antes de serem mudadas, preservavam quem tinha o direito ao casamento e quem não tinha. Hoje, qualquer pessoa que não tenha direito legal ao casamento pode optar pela união estável como alternativa. Porém, para nós, os valores não mudaram. E, como a lei permite tanto o casamento como a união estável, devemos praticar o que mais se harmoniza aos valores bíblicos: o casamento civil.

[3] Disponível em: <http://estudio.folha.uol.com.br/namorados-com-estilo/2016/05/1775779-casamento-e-uniao-estavel-tem-o-mesmo-status-mas-sao-diferentes.shtml>. Acesso em: 25 de nov. de 2019.

DEUS JULGARÁ OS QUE FEREM A ALIANÇA

Percebemos nas Escrituras que Deus não apenas reivindica para si a criação e a instituição do casamento, mas também o defende daqueles que o ferem: "Digno de honra entre todos seja o matrimônio, bem como o leito conjugal sem mácula; porque *Deus julgará os impuros e os adúlteros*" (Hebreus 13.4).

Não temos todos os detalhes sobre como ele julgará, mas uma coisa é certa: quando a Palavra de Deus fala da Cidade Santa e do lugar bendito que o Senhor tem preparado para os salvos, determina, de modo explícito, quem *não* poderá entrar: "Fora ficam os cães, os feiticeiros, *os impuros*, os assassinos, os idólatras e todo aquele que ama e pratica a mentira" (Apocalipse 22.15). A palavra grega traduzida como "impuro" é *pornos*, que tem como significados: "homem que prostitui seu corpo à luxúria de outro por pagamento", "prostituto", "homem que se entrega à relação sexual ilícita", "fornicador". Portanto, o texto se refere a todo aquele que desonra o leito matrimonial, vivendo o sexo antes ou fora do casamento, por prazer ou pagamentos. Além da condenação eterna, a Bíblia sugere que Deus exerce o juízo sobre essas questões ainda nesta vida:

> Pois a vontade de Deus é a santificação de vocês: que se abstenham da imoralidade sexual; que cada um de vocês saiba controlar o seu próprio corpo em santificação e honra, não com desejos imorais, como os gentios que não conhecem a Deus. E que, nesta matéria, ninguém ofenda nem defraude o seu irmão. *Porque, contra todas estas coisas, como antes já avisamos e testificamos, o Senhor é o vingador.* Pois Deus não nos chamou para a impureza, e sim para a santificação (1Tessalonicenses 4.3-7).

Portanto, fica claro que Deus não apenas instituiu o casamento, mas o defende. Os valores do casamento não mudaram, não mudam e não mudarão, mesmo que a sociedade tente alterá-los. E o Senhor vai tratar com cada um por ter vivido, ou não, o casamento segundo aquilo que ele estabeleceu.

DELEITES DA ALIANÇA

O casamento não foi instituído por Deus para ser um peso, fonte de tristeza e dor. Apesar do fracasso de muitos, sabemos que o Senhor planejou o matrimônio para ser um ambiente de deleite, de alegria. Isso não significa que não haverá conflitos ou a necessidade de ajustes, mas que a felicidade e a realização no casamento devem prevalecer sobre qualquer tipo de circunstância ou sentimento.

Na época do Antigo Testamento, quando os profetas anunciavam o juízo devastador que viria contra Israel (ou qualquer outra nação) por terem se rebelado contra o Senhor e se recusado voltar-se a ele em arrependimento, usava-se a expressão "cessar a voz do noivo e da noiva" como forma de indicar que já não haveria alegria (Jeremias 16.9). As Escrituras falam, ainda, sobre o homem promover felicidade à mulher que tomou como esposa (Deuteronômio 24.5), o que também indica claramente o propósito divino para o casamento como um espaço para alegria e realização. Essa realidade se manifesta em diferentes dimensões.

Deleite físico

O matrimônio foi idealizado por Deus para que o casal desfrute fisicamente da plenitude do ato sagrado do sexo: "Seja bendito o seu manancial, e alegre-se com a mulher da sua mocidade, corça amorosa e gazela graciosa. Que os seios dela saciem você em todo o tempo; embriague-se sempre com as suas carícias" (Provérbios 5.18,19).

Deleite emocional

Há uma dimensão no casamento de deleite emocional, que as Escrituras chamam de "aproveitar a vida". Envolve a alegria de se construir o lar juntos, gerar e criar filhos, envelhecer juntos em amizade e parceria, adquirir e conquistar bens materiais e outros alvos. "Aproveite a vida com a mulher que você ama, todos os dias dessa vida fugaz que Deus lhe deu debaixo do sol, porque esta é a parte que lhe cabe nesta vida pelo trabalho com que você se afadigou debaixo do sol." (Eclesiastes 9.9).

Deleite espiritual

A Bíblia fala de alguém que, ao firmar a aliança matrimonial, alcança a benevolência do Senhor: "Quem encontra uma esposa encontra algo excelente; recebeu uma bênção do Senhor" (Provérbios 18.22, NVI). Existe uma dimensão de deleite em Deus, uma realização espiritual; por isso, o casal pode desfrutar de paz, proteção, bênçãos e, sobretudo, da presença do Senhor. Essa é uma das razões pela qual o jugo desigual foi proibido pelo Senhor. O casal deve usufruir junto da comunhão com Deus, algo que o Criador desejou desde o Éden.

A PREPARAÇÃO PARA O CASAMENTO

Infelizmente, a maioria das pessoas que se casam não procura se informar o que é, de fato, a aliança matrimonial e quais são suas implicações. Isso não é sábio! O Senhor Jesus afirmou que quem vai construir uma torre, primeiro, tem de calcular o custo. Para lançar um empreendimento sem saber se será possível concluí-lo, é melhor nem começar (Lucas 14.28-30). Entretanto, a maioria dos cristãos inicia a edificação do matrimônio sem preparação alguma. Não é de admirar que os tristes resultados dessa ignorância logo se manifestem e tragam tanta dor desnecessária ao relacionamento conjugal. Isso quando não ocorre o fim do casamento, situação em que se manifestam os maiores sofrimentos e dores.

É necessário preparar-se para o casamento antes de se casar, em uma preparação não apenas para começar a vida matrimonial, mas, também, para a vida conjugal a longo prazo, contemplando o meio e o fim. Acerca disso, John e Lisa Bevere comentam, em *A história do casamento*:

> Você já percebeu que a maioria dos filmes e livros românticos só se concentra no início de uma história de amor? [...] Sabemos que eles viveram felizes para sempre, mas como? Um início maravilhoso é a parte mais fácil. O trabalho árduo é construir o meio e o fim da história.
>
> É evidente que a nossa cultura tem uma obsessão distorcida sobre a maneira como as histórias de amor devem começar. Um casal pode passar horas incontáveis planejando seu casamento, mas muito pouco tempo se preparando para os anos que virão após a cerimônia. Uma noiva pode passar muitas horas procurando o vestido perfeito, enquanto dedica apenas algumas horas ao aconselhamento pré-nupcial. Consequentemente, o casal está extremamente despreparado quando o conto de fadas se desvanece e eles se veem navegando em um relacionamento real com problemas muito reais.[4]

[4] BAVERE, John; BAVERE, Lisa. *A história do casamento.* Rio de Janeiro: Edilan, 2015, p. 53-54.

Todo o conteúdo deste livro é voltado não só para casados, mas, também, para solteiros. Se você ainda vai se casar, deve preparar-se antecipadamente para esse grandioso e divino projeto. Se já se casou e não se preparou, está em tempo de se preparar para as próximas fases do matrimônio. Não perca mais tempo!

PARA REFLEXÃO

1. Se o casamento é uma dupla aliança — dos cônjuges entre si e deles com Deus —, seria correto afirmar que a dedicação ao matrimônio reflete não apenas o nível de compromisso que temos com o cônjuge, mas, também, com Deus? Por quê?

2. Somente quem entende o que é o pacto conjugal viverá os efeitos da aliança. Quando esses efeitos não são experimentados, isso se deve a ignorância, a negligência ou a ambas? Comente, de forma generalizada, e aproveite para fazer uma avaliação personalizada em sua vida matrimonial.

3. Em sua opinião, a tão necessária preparação para o casamento deveria acontecer somente antes do casamento? Ou deveria ser um ato contínuo para cada fase e estação do matrimônio? Qual das fases você experimentou ou deixou de experimentar? Como isso afetou sua vida conjugal?

MEU MAIOR DESAFIO

Escreva, no espaço abaixo, a sua principal dificuldade para pôr em prática o que é proposto neste capítulo. Em seguida, anote o que você pode fazer para superar esse desafio.

OREMOS

Pai celeste, desejo viver a aliança do casamento entendendo não apenas o compromisso firmado com meu cônjuge (ou futuro cônjuge), mas, também, contigo. Quero honrá-lo em meu matrimônio e glorificá-lo em minha vida conjugal. Suplico por graça e sabedoria para entender e praticar os princípios da tua Palavra nesta área da minha vida.

Em nome de Jesus eu oro. Amém.

6 DIVÓRCIO E NOVO CASAMENTO

Muito se fala sobre divórcio e novo casamento, decisões que se tornaram bastante comuns em nossa sociedade — e até em muitas igrejas. Para compreendermos corretamente como devemos enxergar essa questão, precisamos abordar o assunto não pela perspectiva da sociedade não cristã, mas com uma única pergunta em mente: o que *a Bíblia* diz sobre o assunto?

Como a Escritura Sagrada é nossa única regra de fé e prática, não podemos imaginar ter o direito de crer ou viver de modo diferente daquilo que foi determinado por Deus. Portanto, não pretendo julgar experiências. Vejo muita gente tentar determinar se uma situação de divórcio ou novo casamento é ou não legítima mediante análise e julgamento da vida das pessoas que já fizeram essas escolhas, isto é, por aparência e circunstâncias. Para alguns, a forma como deveríamos avaliar tais circunstâncias parece ser o fato de os indivíduos envolvidos estarem ou não sendo abençoados depois de um divórcio seguido de novo casamento.

Há três erros nessa atitude. Primeiro, como temos parâmetros bíblicos para avaliar uma decisão *antes* de ela ser tomada, é insensatez deixar para fazê-lo depois, uma vez que a decisão, se foi errada, já foi tomada. Segundo, acreditar ser possível tratar dessas questões como se houvesse uma espécie de jurisprudência a ser aplicada com base em comportamentos. Terceiro, achar que a avaliação dos resultados da vida de alguém poderia determinar, por si só, se aquela pessoa quebrou ou não os princípios divinos.

Aparências são complicadas. Encontramos na Bíblia casos como o de Jó, que, a julgar pelas aparências, parecia ter pecado terrivelmente contra Deus. Por outro lado, as Escrituras revelam que nem todo juízo é imediato: "Os pecados de alguns são notórios, mesmo antes do juízo, mas os de outros *só se manifestam mais tarde*" (1Timóteo 5.24). Os pecados de alguns são trazidos à luz e julgados antecipadamente, enquanto os de outros só serão revelados no dia do juízo. Como saber, portanto, antes desse dia, se alguém pecou ou não?

Desejo analisar o que a Bíblia diz, e não experiências pessoais — não importa quão "abençoadas" elas aparentemente sejam. Um esclarecimento importante: é possível que eu não venha a abordar neste livro certos aspectos específicos da vida de cada pessoa. Nesse caso, devemos lembrar da orientação de Jetro a seu genro Moisés sobre a importância de se delegar tarefas e levantar líderes para auxiliá-lo a ensinar os mandamentos de Deus e julgar as causas do povo segundo esses preceitos (Êxodo 18.22).

É natural acreditar que, ao ler o que escrevo neste capítulo, alguns casais tenham dúvidas acerca de detalhes que não serão especificamente esclarecidos aqui. Nesse caso, aconselho que procurem seus líderes espirituais a fim de receber orientação, como indicam as Escrituras: "Porque os lábios do sacerdote devem guardar o conhecimento, e da sua boca todos devem buscar a instrução, porque ele é mensageiro do SENHOR dos Exércitos" (Malaquias 2.7). O sacerdote israelita da época do Antigo Testamento não deveria dar uma opinião pessoal sobre um assunto; sua responsabilidade era dar pareceres segundo os termos das Escrituras. O mesmo devem fazer os líderes espirituais de nossos dias.

Com relação a divórcio e novo casamento, é importante ressaltar que o que acontece antes e depois da conversão tem peso diferente. Assim, devem receber orientações diferentes os que se renderam ao senhorio de Cristo depois de já terem passado pelo divórcio ou novo casamento e os que se divorciaram e se recasaram depois de já terem se rendido ao senhorio de Cristo. Todos seremos julgados, mas o julgamento virá na proporção do que conhecemos (Lucas 12.47,48).

OS TEMPOS DA IGNORÂNCIA

O apóstolo Paulo fez uma declaração que nos ajuda a entender e tratar da questão dos que passaram pelo divórcio e novo casamento quando *ainda não eram* convertidos: "Deus *não levou em conta os tempos da ignorância*, mas agora ele ordena a todas as pessoas, em todos os lugares, que se arrependam" (Atos 17.30).

Essa afirmação não significa que aquilo que fizemos antes de conhecer a Cristo não seja pecado, mas que, mediante arrependimento das transgressões cometidas, recebemos o perdão pelos erros do tempo da ignorância. Entretanto, a partir do momento em que se conhece a verdade bíblica, seremos cobrados de forma diferente.

Os tempos da ignorância são uma referência ao período da vida do indivíduo antes que ele conhecesse a verdade do evangelho de Jesus Cristo. As Escrituras distinguem o período anterior e posterior ao nosso chamado:

> No mais, que cada um ande segundo o que o Senhor lhe concedeu, conforme Deus o chamou. É isto que ordeno em todas as igrejas. Foi alguém chamado, estando circunciso? Não desfaça a circuncisão. Foi alguém chamado, estando incircunciso? Não se faça circuncidar. A circuncisão, em si, não é nada; a incircuncisão também nada é, mas o que vale é guardar os mandamentos de Deus. Cada um permaneça na vocação em que foi chamado. Você foi chamado, sendo escravo? Não se preocupe com isso. Mas, se você ainda pode tornar-se livre, aproveite a oportunidade. Pois quem foi chamado no Senhor, sendo escravo, é liberto que pertence ao Senhor. Do mesmo modo, quem foi chamado, sendo livre, é escravo de Cristo. Vocês foram comprados por preço; não se tornem escravos de homens. Irmãos, cada um permaneça diante de Deus na condição em que foi chamado.
>
> 1Coríntios 7.17-24

Portanto, os tempos da ignorância dizem respeito ao período cronológico anterior à nossa conversão (ou "chamado"). O apóstolo Pedro usou a mesma terminologia ao referir-se a esse tempo (1Pedro 1.14). Não importa o passado que tivemos, quando nos encontramos com Jesus, a nossa vida muda: "E, assim, se alguém está em Cristo, é nova criatura; as coisas antigas já passaram; eis que se fizeram novas" (2Coríntios 5.17). Fomos completamente justificados e já não há mais culpa: "Agora, pois, já não existe nenhuma condenação para os que estão em Cristo Jesus" (Romanos 8.1). Fomos lavados pelo sangue de Jesus, purificados de todo pecado: "Alguns de vocês eram assim. Mas vocês foram lavados, foram santificados, foram justificados no nome do Senhor Jesus Cristo e no Espírito do nosso Deus" (1Coríntios 6.11).

Se não houvesse distinção entre a maneira de lidar com o cristão e com o não cristão, a Bíblia não poderia dizer às pessoas para permanecerem no estado em que foram chamadas (1Coríntios 7.20,24). E, embora Paulo trate de questões como circuncisão e escravidão, elas são apenas ilustrações que ampliam o entendimento do assunto principal em discussão. O contexto dessa declaração é claro: o apóstolo está falando de casamento.

Portanto, se alguém se converteu ao Senhor já no segundo ou no terceiro casamento, essa pessoa não deve desfazer a família em que está, mas, sim, permanecer no estado em que foi chamada e saber que Deus não leva em conta os tempos da ignorância — embora exija que a pessoa se arrependa do pecado que ela, agora, compreende ter cometido quando ignorava o evangelho de Cristo.

O mesmo apóstolo Paulo que usou a expressão "tempos da ignorância" disse: "A mim, que, no passado, era blasfemo, perseguidor e insolente. Mas alcancei misericórdia, pois *fiz isso na ignorância*, na incredulidade" (1Timóteo 1.13). Paulo não era ignorante no sentido de não conhecer as Escrituras, ele as conhecia extremamente bem (Atos 22.3; Gálatas 1.14; Filipenses 3.8), portanto, esse período de tempo fala não de conhecer racionalmente as Escrituras, mas de não se ter a revelação da Palavra pela ação do Espírito Santo. Trata-se da ausência do entendimento espiritual que só os nascidos de novo podem alcançar.

Então, é justo dizer que "ignorância" é a condição do homem sem Cristo, e que a expressão "tempos de ignorância" refere-se *ao período anterior à conversão*. Isso significa que, para quem se converteu depois de se divorciar ou se casar de novo, tudo recomeça a partir da conversão. Entendo que se a quem tinha o coração duro na Lei (pela falta do novo nascimento) foi permitido o divórcio, então Deus também tolera os que viviam na ignorância, mesmo que tenham pecado e necessitem se arrepender.

Em razão desse entendimento, em nosso ministério, aceitamos, sem nenhum problema, as pessoas que se converteram e chegaram à igreja já com mais de um casamento ou divorciadas. Nós as encorajamos a reconstruir sua vida, em Deus, a partir do momento em que foram salvas, e a permanecerem no estado em que foram chamadas. Nós lhes ensinamos sobre o perdão e a restauração de Deus e tratamos de apontar-lhes o caminho a ser trilhado a partir da conversão. O que apresento aqui, de forma generalizada, é uma conclusão doutrinária do assunto. Já vivenciei situações em que o Espírito Santo sinalizou claramente a alguns que, mesmo com o "direito" de reconstruir, restaurassem relacionamentos do período anterior à conversão e, ao obedecerem à orientação divina, experimentaram milagres. Não posso, contudo, fazer dessas experiências a regra doutrinária. Mas procuro aplicar a interpretação bíblica, orientando as pessoas que orem e busquem a vontade e o propósito do Senhor.

A situação dos que já eram cristãos quando se casaram ou dos que, mesmo tendo se convertido já casados, conheceram a verdade da Palavra de Deus acerca do casamento é *diferente* da situação dos que já se converteram divorciados ou em novo casamento.

A REVELAÇÃO DO CASAMENTO PARA O NOSSO TEMPO

Ao discutir o que a Bíblia ensina acerca do casamento, divórcio e novo casamento, é imperativo levar em conta os diferentes períodos bíblicos, bem como a revelação de Deus para cada período. Quando analisamos o que a Lei mosaica dizia, vemos que o assunto do divórcio e do novo casamento não era complicado. Porém, o que foi ensinado naquela época é diferente dos princípios que vigoram na Nova Aliança.

A poligamia, por exemplo, era tolerada e até regulamentada (Êxodo 21.10). Na Nova Aliança, porém, a monogamia é o padrão (1Timóteo 3.2). Em Hebreus, encontramos a explicação para esse fato: "Pois, quando se muda o sacerdócio, necessariamente muda também a lei" (Hebreus 7.12). Não podemos ignorar as mudanças de mandamento ocorridas em períodos distintos, definidos assim pela própria Escritura.

Jesus falou aos judeus de sua época que era chegado um novo tempo e, consequentemente, deveria ser adotado um novo comportamento a respeito do casamento:

> Alguns fariseus se aproximaram de Jesus e, testando-o, perguntaram:
>
> — É lícito ao homem repudiar a sua mulher *por qualquer motivo*?

Jesus respondeu:

— Vocês não leram que o Criador, desde o princípio, os fez homem e mulher e que disse: "Por isso o homem deixará o seu pai e a sua mãe e se unirá à sua mulher, tornando-se os dois uma só carne"? De modo que já não são mais dois, porém uma só carne. Portanto, que ninguém separe o que Deus ajuntou.

Os fariseus perguntaram:

— Então por que Moisés ordenou dar uma carta de divórcio e repudiar a mulher?

Jesus respondeu:

— Foi por causa da dureza do coração de vocês que Moisés permitiu que vocês repudiassem a mulher, mas não foi assim desde o princípio. Eu, porém, lhes digo: quem repudiar a sua mulher, não sendo por causa de relações sexuais ilícitas, e casar com outra comete adultério.

Os discípulos de Jesus disseram:

— Se essa é a situação do homem em relação à sua mulher, não convém casar.

Mateus 19.3-10

Observe que os fariseus não perguntaram se era lícito divorciar-se, uma vez que a Lei de Moisés avalizava explicitamente a separação. A pergunta deles era sobre se poderiam fazer isso *por qualquer motivo*. A razão para o questionamento é que havia duas escolas de pensamento e ensino rabínicos predominantes naquela época, que interpretavam de formas distintas a questão.

Os seguidores do rabino Shammai afirmavam que o homem não podia se divorciar da esposa a não ser que ela fosse comprovadamente culpada de imoralidade sexual. Já os seguidores do rabino Hillel eram mais liberais e permitiam o divórcio por diversas razões, algumas delas bastante triviais. Por esse motivo, muitos acreditam que Jesus estava tomando partido em favor de uma das escolas rabínicas e, portanto, falando somente aos judeus de seus dias que viviam sob a Lei. Não posso, em absoluto, concordar com tal colocação.

Já vi muita gente tentar limitar o ensino de Jesus aos judeus, e esse equívoco tem de ser definitivamente silenciado. Cristo não veio resolver os debates dos judeus ou ensinar-lhes a praticar a Lei mosaica, mas ensinar valores que seriam comunicados aos futuros discípulos dos gentios, ou seja, à Igreja (Mateus 28.19,20). Em certa ocasião, ao ser abordado por um homem que lhe pediu ajuda na partilha de uma herança, Jesus respondeu: "Homem, quem me nomeou juiz ou repartidor entre vocês?" (Lucas 12.14). Em seguida, ele começou a ensinar sobre a necessidade de se guardar da avareza. A atitude de Cristo nesse episódio não teve como finalidade resolver uma disputa de herança entre judeus, mas apresentar aos seus discípulos os princípios e valores que eles deveriam adotar.

O mesmo se dá em Mateus 19, quando Jesus trata de divórcio e novo casamento. Suas palavras não tiveram por meta resolver disputas rabínicas, mas se aproveitar de uma questão trazida pelos judeus para ensinar seus discípulos. Portanto, a resposta de Jesus vai além e trata de períodos diferentes da história da humanidade. Ao dizer que "não foi assim desde o princípio", ele se referiu aos dias de Adão, ao começo da trajetória humana sobre a terra. Depois, falou de um segundo período em que foi permitido o divórcio, dos dias em que Moisés recebeu a Lei até seus dias. Por fim, ele declara: "Eu, porém, lhes digo", expressão que indica claramente um terceiro período e uma nova instrução a partir de então, para o período da Nova Aliança.

Esse é um ponto importante na interpretação desse texto. Jesus declarou, repetidas vezes, a frase "Vocês ouviram o que foi dito" e variações como "Vocês ouviram o que foi dito aos antigos", em uma clara referência à época da Antiga Aliança. Entretanto, na sequência, sempre o encontramos afirmando: "eu, porém, lhes digo", o que é uma evidente referência à Nova Aliança, aos ensinos de Jesus para um novo tempo. Portanto, devemos examinar a questão de divórcio e novo casamento levando em conta os três períodos destacados pelo Senhor:

Primeiro período. De Adão a Moisés (Romanos 5.14). Jesus disse: "não foi assim desde o princípio". Não há menção bíblica de Deus tratar sobre divórcio nessa fase da história da humanidade.

Segundo período. De Moisés a Jesus (João 1.17). Na Lei mosaica, o divórcio foi permitido em caráter de exceção, por um único motivo: a dureza do coração dos homens.

Terceiro período. De Jesus até sua segunda vinda, quando se dará a consumação da redenção. Há o retorno ao padrão anterior à Lei mosaica.

Surge a pergunta: por que Deus permitiu o divórcio, ainda que temporariamente? O próprio Cristo respondeu: "por causa da dureza do coração de vocês". Aqui temos uma chave importante para o entendimento dessa verdade. Na época do Antigo Testamento, as pessoas não nasciam de novo (João 3.3), não participavam da natureza de Deus (2Pedro 1.4) e não eram habitação do Espírito Santo. Seu coração era "de pedra" (Ezequiel 36.26,27). Hoje, se nos rendemos à ação do Espírito Santo, podemos andar em amor, perdão, compreensão, paciência e tudo mais de que necessitamos para que o relacionamento sagrado do casamento não fracasse.

Se formos cristãos genuínos, cheios do Espírito Santo, do tipo que dá a outra face, caminha a segunda milha, entrega a capa junto com a túnica, paga o mal com o bem, ama os inimigos e ora pelos que os perseguem, então teremos grandes chances de evitar o divórcio. O sucesso do matrimônio depende de uma vida de entrega total à vontade de Deus — essa postura faz toda diferença e aumenta muito as chances de sobrevivência do casamento!

Jesus deixou bem claro que, salvo no caso de relações sexuais ilícitas, um novo casamento é, definitivamente, uma relação adúltera. Um cristão que se casa no Senhor não pode ignorar esse fato. Para alguns, o conceito apresentado por Jesus foi tão assustador que chegaram a dizer que, nesse caso, era melhor nem mesmo se casar (Mateus 19.10). Diante disso, Cristo respondeu que nem todos são capazes de aceitar esse ensinamento, mas "apenas aqueles a quem isso é dado" (Mateus 19.11,12).

Jesus afirmou ser possível viver sem se casar, embora apenas alguns devam fazê-lo:

Eunucos de nascença. Quem nasce com a inclinação ao celibato (1Coríntios 7.7).

Eunucos que foram feitos assim pelos homens. Os eunucos eram castrados para não representarem um perigo de envolvimento sexual com as mulheres de quem eles cuidavam nos palácios reais.

Os que se fizeram eunucos voluntariamente por causa do Reino dos céus. Alguns escolhem viver sozinhos por amor às necessidades do Reino de Deus. Se um novo casamento configurar uma relação adúltera na vida de uma pessoa, então é melhor abrir mão dele e viver sozinho o resto da vida do que pecar contra Deus por insistir em um novo casamento fora dos parâmetros divinos.

O argumento de que a instrução de Jesus em Mateus 19 era só para os judeus, e não para os seus discípulos, tem base no fato de que, na narrativa de Marcos 10.1-12, há menção de uma conversa particular de Jesus com seus discípulos, em casa, na qual ele não menciona a exceção do adultério. Porém, ao compararmos os textos dos dois evangelhos sinópticos, percebemos que Marcos registra um detalhe a mais, que é o fato de a conversa terminar em casa, e não que houve duas instruções diferentes para cada grupo.

Marcos omitir a exceção apresentada por Jesus não invalida a declaração registrada por Mateus. Até porque, no Sermão do Monte, Cristo também fez a mesma observação: "Também foi dito: 'Aquele que repudiar a sua mulher deve dar-lhe uma carta de divórcio'. Eu, porém, lhes digo: quem repudiar a sua mulher, exceto em caso de relações sexuais ilícitas, a expõe a se tornar adúltera; e aquele que casar com a repudiada comete adultério" (Mateus 5.31,32).

A hermenêutica bíblica exige que, em casos como esse, o texto que traz mais informações acrescente um fato, e não o que fornece menos informações subtraia um fato. A transcrição do Sermão do Monte em Mateus tem 111 versículos, e a de Lucas tem 29 versículos, mas ninguém subtrai de Mateus o que Lucas omitiu! De igual modo, o registro de Mateus do sermão profético tem 97 versículos, e o de Marcos tem 37, mas nenhum estudioso ou intérprete da Bíblia subtrairia do Evangelho de Mateus os detalhes que Marcos deixou de mencionar. A conclusão óbvia é que Mateus 19 e Marcos 10 não se contradizem com informações concorrentes, mas se somam com informações complementares.

O DIVÓRCIO

O divórcio nunca foi a vontade de Deus para os homens, mesmo quando permitido na Lei de Moisés. Isso fica claro ao lermos as palavras de Malaquias: "Porque o SENHOR, o Deus de Israel, diz que odeia o divórcio" (Malaquias 2.16). Os grupos cristãos que ensinam sobre a indissolubilidade do matrimônio chegam ao extremo de negar até mesmo a permissão dada por Moisés ao divórcio. Forçam a interpretação do texto de Mateus 19 para dizer que a discussão seria sobre dissolver o noivado, e não o casamento. Por essa lógica, Jesus não estaria definindo uma exceção ao divórcio seguido de novo casamento.

Porém, o fato é que o Senhor, ao encontrar-se com a mulher samaritana junto ao poço de Jacó, disse que ela tivera cinco maridos e que o de então não era marido (João 4.16-18), isto é, apesar de não reconhecer o último, Cristo reconheceu como maridos daquela mulher cada um dos anteriores. Isso nos remete ao fato de que houve, sim, permissão ao divórcio.

Também tenho visto ensinadores que se baseiam na mensagem de João Batista para tentar provar que, mesmo durante a vigência da Lei de Moisés, um novo casamento não era admitido, a não ser em caso de viuvez: "Porque o próprio Herodes havia mandado prender João e amarrá-lo na prisão, por causa de Herodias, mulher do seu irmão Filipe, com a qual Herodes havia casado. Pois João lhe dizia: 'Você não tem o direito de viver com a mulher do seu irmão' " (Marcos 6.17,18).

A dificuldade de usar essa passagem como base é que o pecado que João Batista condena não é o divórcio seguido de novo casamento e, sim, o incesto! A não ser no caso da morte do irmão, o envolvimento com a cunhada era proibido (Levítico 18.16; 20.21). O fato de Herodes ser condenado por se casar com a cunhada não nega uma permissão ao divórcio vigente em seus dias!

Contudo, o que devemos destacar de mais importante no ensino de Jesus é que ele deixa claro que o divórcio era para gente de coração endurecido. Não estou dizendo que o divórcio nunca possa acontecer com um cristão. Há situações em que ele é aconselhável, como no caso de violência doméstica. Vale ressaltar, porém, as sábias palavras de Warren Wiersbe: "O divórcio deve ser a última opção, e não a primeira". O fato de o divórcio ser aceitável como última opção não faz dele algo bom. Tampouco justifica a sua procura sem que se valorize a aliança e se lute por ela. A união matrimonial, nas palavras de Jesus, é divina, enquanto a separação é humana. O casamento foi instituído por Deus, mas o divórcio, não. Enquanto o casamento, como vontade divina, agrada ao Criador, ele odeia o divórcio. Um cristão deve lutar contra o divórcio, mas, se ainda assim for inevitável, então ele deve entender que, a menos que a situação inclua a exceção mencionada por Jesus, isso não lhe dá direito a um novo casamento. Paulo escreveu:

> Ora, aos casados, ordeno, não eu, mas o Senhor, que a mulher não se separe do marido (se, porém, ela vier a separar-se, que não se case ou que se reconcilie com seu marido); e que o marido não se aparte de sua mulher.

> Aos mais digo eu, não o Senhor: se algum irmão tem mulher incrédula, e esta consente em morar com ele, não a abandone.
>
> 1Coríntios 7.10,11, ARA

Aqui há dois níveis de instrução: a primária diz: "não se separe". Se, por alguma razão, a separação vier a acontecer, há uma instrução secundária: "se vier a separar-se, que não se case ou que se reconcilie". Essas palavras dão a entender que o divórcio não é o maior problema na questão do matrimônio, e sim o novo casamento.

Alguém pode estar separado e decidir "se fazer eunuco", vivendo em celibato, ou mesmo orar e esperar por uma reconciliação, voltando, assim, à sua aliança matrimonial. Porém, um novo casamento fora do padrão permitido pela Palavra de Deus é adultério!

O NOVO CASAMENTO

O novo casamento de um cristão só pode acontecer dentro de situações específicas, senão é considerado adultério. A primeira delas é a morte de um dos cônjuges:

> Por exemplo, a mulher casada está ligada pela lei a seu marido, enquanto ele vive; *mas, se o marido morrer, ela ficará livre da lei conjugal.* De modo que será considerada adúltera se, enquanto o marido estiver vivo, ela se unir com outro homem. Mas, se o marido morrer, ela estará livre da lei e não será adúltera se casar com outro homem.
>
> Romanos 7.2,3

O texto sagrado é claro ao mencionar a união com outra pessoa como uma relação adúltera se o cônjuge estiver vivo. Mas, morrendo um dos cônjuges, o que ficou viúvo tem todo direito de casar-se novamente: "A mulher está ligada ao seu marido enquanto ele viver. Mas, *se o marido morrer, ela fica livre para casar* com quem quiser, mas somente no Senhor" (1Coríntios 7.39).

Além da questão da viuvez, que não parece gerar nenhuma polêmica, há a exceção apresentada por Jesus: "Eu, porém, vos digo: quem repudiar sua mulher, não sendo por causa de relações sexuais ilícitas, e casar com outra comete adultério [e o que casar com a repudiada comete adultério]" (Mateus 19.9, ARA). Precisamos entender que o Senhor Jesus chamou *todo* divórcio seguido de novo casamento de adultério, com exceção de uma separação causada por relações sexuais ilícitas. Quer as pessoas gostem ou não, há uma exceção estabelecida por Jesus (Mateus 5.32; Mateus 19.9) e não pode ser ignorada.

A palavra grega traduzida como "relações sexuais ilícitas" é *porneia*, que significa "imoralidade", "adultério", "prostituição", "fornicação" e todo tipo de relação sexual condenada biblicamente. O plano de Deus para o casal é a aliança matrimonial por toda a vida, a fusão em uma só carne. Jesus deixou claro que, além da morte, só o adultério tem o poder de romper a aliança firmada entre um casal. Assim como a aliança matrimonial é consumada por meio da relação sexual do casal, ela pode, igualmente, ser destruída por meio de intercurso sexual adúltero. Vimos que a exclusividade sexual é um dos pilares da aliança matrimonial; por isso, quando a exclusividade sexual é quebrada, a aliança do casal também é.

O princípio de "uma só carne" é apresentado na Bíblia não só em relação ao casamento, mas em relação ao envolvimento sexual com quem não é o cônjuge: "Ou não sabem que o homem que se une à prostituta forma um só corpo com ela? Porque, como se diz, 'os dois se tornarão uma só carne' " (1Coríntios 6.16).

A relação física de um homem com uma prostituta certamente não é considerada casamento, mas é uma união em uma só carne. Logo, o cônjuge que adultera, envolvendo-se sexualmente com outra pessoa, deixou de preservar o relacionamento de "uma só carne" com seu parceiro exclusivo de aliança para fazê-lo com outro. Portanto, o princípio de uma só carne, estabelecido primeiramente com o cônjuge, é quebrado quando passa a ser estabelecido com outra pessoa.

Porém, no caso de um adultério, há como se reverter a situação por meio de perdão, reconciliação e restauração da aliança. Já vi pessoas que quase fizeram festa quando souberam que o cônjuge havia sido infiel, dizendo coisas como: "Graças a Deus! Agora posso me separar dele!". Esse tipo de pensamento é um absurdo! Muitos cônjuges se tornam cúmplices do adultério do outro, pois não obedecem à advertência bíblica de proteção pela frequência correta da vida sexual (1Coríntios 7.5). Alguns oferecem o companheiro de aliança de bandeja para o Diabo e suas tentações!

Não creio que uma situação de adultério signifique, necessariamente, o fim do casamento. O perdão e a restauração divina podem reverter o quadro. Se você passou por uma situação como essa, eu o aconselho a refletir, em oração, meditação e estudo, nos princípios bíblicos sobre o perdão e a restauração familiar.[1]

Muita gente tem transformado a *possibilidade* de divórcio e novo casamento em *obrigatoriedade*. Não posso concordar com isso! Como escreveu Hernandes Dias Lopes:

> John Stott argumenta que Jesus não ensinou que a parte inocente devia divorciar-se do cônjuge infiel, mesmo tendo base legal para o divórcio. Jesus nem mesmo encorajou ou recomendou o divórcio por infidelidade. O que Jesus enfatizou é que o único divórcio e novo casamento que não equivalia ao adultério era o da parte inocente, cujo cônjuge fora infiel. Assim, o propósito de Jesus não era encorajar o divórcio por essa razão, mas desencorajá-lo por qualquer outra razão.[2]

Se, por um lado, não podemos transformar a possibilidade de divórcio e novo casamento em obrigatoriedade, por outro, não podemos anular o que Jesus ensinou e pregar a impossibilidade da separação na exceção apresentada.

Em oposição à exceção prevista por Cristo, há quem faça distinção entre os conceitos de *porneia* ("relações sexuais ilícitas") e o de *moichao*, termo grego que significa "adultério". Segundo os tais, a exceção apresentada por Jesus em Mateus 19 não estava relacionada com o adultério e, sim, com o pecado de "fornicação", isto é, sexo entre solteiros. Ao fazerem essa distinção, tais pessoas defendem que a única razão para separação e novo casamento seria se o marido descobrisse que a moça com quem casou não era virgem.

Há dois problemas com essa linha de pensamento. O primeiro tem a ver com a interpretação da palavra *porneia* e o segundo com a anulação do casamento no caso de a mulher não casar virgem.

---

[1] Estudos disponíveis no site do nosso ministério, com os títulos: *Compreendendo o perdão* e *milagre no casamento*. Acesse: <www.orvalho.com>.

[2] LOPES, Hernandes Dias. *Casamento, divórcio e novo casamento*. São Paulo: Hagnos, 2005, p. 111-112.

Segundo os melhores léxicos, *porneia* significa: "relação sexual ilícita", "adultério", "fornicação", "homossexualidade", "lesbianismo", "relação sexual com animais", "relação sexual com parentes próximos", "relação sexual com um homem ou mulher divorciada". Em outras palavras, *porneia* inclui todo tipo de pecado sexual, incluindo incesto e bestialidade. Se um homem solteiro comete fornicação, é *porneia*. Se um homem casado adultera, também é *porneia*, não importa se a relação ilícita foi com uma mulher solteira ou casada, com outro homem, com um parente ou mesmo com um animal. Trata-se de uma relação sexual ilícita, que, para alguém casado, também se torna adultério (*moichao*).

Já foram escritos livros em que estudiosos explicam que, até mesmo na literatura grega do início da era cristã — e não só nos textos bíblicos —, o termo *porneia* e seus cognatos eram usados para designar os pecados sexuais em geral. Essa interpretação foi abraçada pelos maiores estudiosos do assunto e tradutores da cristandade, como Agostinho, Latâncio, Clemente, Lutero, Calvino e outros. Tentar interpretar que o que Jesus estava falando com base na suposição de que a palavra *porneia* só se aplica ao pecado de fornicação é um grande equívoco. Pior é tentar dar suporte bíblico a essa afirmação.

Normalmente, essa linha de pensamento parte do texto em que Moisés autoriza o divórcio para construir seu raciocínio: "Quando um homem tomar uma mulher e se casar com ela, se ela não achar graça aos seus olhos, por haver ele *encontrado nela coisa vergonhosa*, far-lhe-á uma carta de divórcio e lha dará na mão, e a despedirá de sua casa" (Deuteronômio 24.1). Se a "coisa vergonhosa" mencionada por Moisés fosse a fornicação antes do casamento, a pessoa não receberia a carta de divórcio para casar-se novamente, mas deveria ser apedrejada até a morte:

> Se, porém, esta acusação for confirmada, não se achando na moça os sinais da virgindade, levarão a moça à porta da casa de seu pai, e os homens da sua cidade *a apedrejarão até que morra*; porque fez loucura em Israel, prostituindo-se na casa de seu pai. Assim exterminarás o mal do meio de ti.
>
> Deuteronômio 22.20,21

Há, ainda, quem questione: "Se o adultério dá direito a novo casamento, por que Jesus diria que quem casa com a repudiada também comete adultério?". Precisamos ser sinceros em reconhecer que a afirmação de

Cristo de que as novas núpcias são consideradas uma relação adúltera está relacionada a um novo casamento não permitido. O Senhor diz que aquele que repudiar sua mulher, *exceto em caso de relações sexuais ilícitas*, e casar-se de novo, comete adultério. Isso significa que todo divórcio seguido de novo casamento é considerado adultério, a não ser que seja em caso de relações sexuais ilícitas. Quando Jesus, na sequência, diz que quem casar com a repudiada comete adultério, está falando da mulher repudiada cujos divórcio e novo casamento não se enquadram na exceção. Em outras palavras, se um casal se separa, não sendo por causa de relação sexual ilícita, e qualquer um deles, sendo o que repudia ou o repudiado, se casar novamente, está errado. O Senhor está falando de uma regra geral, válida para marido e mulher.

Neste ponto, alguns questionam: se o marido se separou da mulher por motivo que não seja a exceção apresentada por Jesus e já entrou em uma nova relação adúltera, por que está impedida de casar a mulher repudiada, no caso, a vítima que entendemos ter o direito a um novo casamento? A regra que Cristo estabeleceu para a repudiada estar em adultério também está condicionada à exceção. Ele não está falando de adultério no caso da exceção e, sim, na falta dela. Porém, alguns criaram uma única possibilidade de interpretação para a mulher se casar de novo depois de o marido também ter casado, como se a exceção destacada por Jesus não tivesse envolvida, o que, evidentemente, é um erro.

A ALIANÇA É UM COMPROMISSO UNILATERAL?

Há uma linha de ensinamento, contrária ao novo casamento em qualquer situação, que, em seu zelo, tem se excedido ao tentar estabelecer os conceitos bíblicos de aliança. O casamento é uma aliança e não um contrato. Entretanto, essa linha de pensamento define aliança como um compromisso unilateral de Deus conosco, irrevogável, independentemente do que a outra parte faça. Não concordo. Dizer que um contrato é bilateral e uma aliança é unilateral é ignorar verdades acerca das duas coisas. Primeiro, porque também há contratos unilaterais. Segundo, porque a definição de aliança não pode ser estabelecida somente como o oposto de um contrato que, supostamente, nunca seria unilateral.

Como podemos entender e definir esses conceitos? Primeiro, temos de conferir como a Palavra de Deus estabelece que o Criador trata as alianças que firma. Somente, então, podemos definir o que é uma aliança e, portanto, qual é a forma correta de praticá-la. É claro que Deus tem um alto nível de compromisso conosco e jamais nos abandona. Isso, porém, não significa que sua aliança conosco seja unilateral, porque ela nunca foi e nunca será assim! Se assim fosse, não haveria inferno. Se Deus sustentasse permanentemente a aliança, a despeito do que fazemos, como pregam os que dizem que o cônjuge tem de permanecer casado mesmo em caso de repetidos adultérios sem arrependimento, então, não importaria quanto pecássemos, Deus teria de nos levar para o céu e nos manter sempre com ele.

Nossa união com Deus encontra muitos paralelos no casamento. No matrimônio, homem e mulher se tornam um, e o apóstolo Paulo declarou que "aquele que se une ao Senhor é um só espírito com ele" (1Coríntios 6.17). Mas, se essa mesma pessoa abandonar a Deus e não aceitar a oferta de perdão e restauração ao recusar o arrependimento, perderá sua "unidade" com o Senhor e passará a estar separado dele por causa do pecado (Isaías 59.2).

O exemplo que Deus nos dá é de alguém que não desiste da aliança, nos perdoa e a restaura mesmo quando a quebramos e, arrependidos, aceitamos a reconciliação. Ele é fiel, ainda que não sejamos (2Timóteo 2.13), mas, se desistimos da aliança com ele e não aceitamos seu perdão e sua restauração, estamos rompendo, definitivamente, a aliança.

Nesse caso, ainda que Deus não tenha quebrado ou desistido do pacto, *nós o fizemos!* É por isso que Jesus falou que o pecado contra o Espírito Santo não tem perdão (Mateus 12.31,32), o que não significa que Deus desistiu de alguém e sim que esse alguém ultrapassou os limites da tolerância divina. Mas, se a aliança fosse unilateral, Deus não poderia ficar sem perdoar aquele que blasfemou contra o Espírito Santo! A Bíblia lista diversos exemplos de que o Deus compassivo prefere oferecer misericórdia em vez da ira, *desde que* quem se pactua com ele reconheça seu pecado e se volte para ele.

A aliança divina é bilateral e pode ser quebrada. Por outro lado, porém, a aliança matrimonial (assim como a nossa aliança com Deus) ainda pode ser renovada, mesmo depois de ter sido quebrada. Ninguém deveria desistir de lutar pelo casamento, ainda que diante da infidelidade do cônjuge. Nenhum pastor ou líder deveria aconselhar alguém a desistir do casamento em razão de um adultério. Deve haver misericórdia, perdão e luta pela restauração!

Hernandes Dias Lopes afirma que o divórcio só é permitido quando o cônjuge infiel recusa-se obstinadamente a interromper a prática da infidelidade conjugal: "A consequência desse ensino é que o cônjuge traído pode legitimamente divorciar-se do cônjuge infiel, sem se colocar sob o juízo de Deus". Ele pontua com a mesma preocupação de que o perdão e a possibilidade de restauração da aliança matrimonial sejam vividos:

> Nesse caso, o cônjuge traído tem o direito de divorciar-se e casar novamente. Obviamente, o perdão deve ser oferecido antes desse passo final. Contudo, perdão implica arrependimento da pessoa faltosa. O cônjuge que não se arrepende de sua infidelidade e permanece no pecado pode ser deixado através do divórcio, embora essa decisão não seja compulsória.[3]

Tenho a mais profunda convicção de que a quebra da aliança matrimonial por parte de um ou de ambos os cônjuges não é motivo para se desistir dela. O divórcio não faz ninguém feliz, tampouco apaga as lembranças dolorosas. O perdão é que tem esse poder! O milagre restaurador de Deus pode nos dar tudo isso sem que o divórcio e um novo casamento sejam necessários.

Se, por um lado, não é fácil reconstruir um casamento em crise, tampouco é fácil lidar com o divórcio. O dano já foi feito e, independentemente de haver ou não restauração do casamento, inevitavelmente haverá dor e sofrimento. Porém, é preferível se pôr sob a graça de Deus e buscar socorro e restauração nele. Lembre-se de como o Senhor honrou Josué com poderosas intervenções sobrenaturais quando ele decidiu lutar pela aliança que havia firmado (Josué 10.6-11).

Temos de entender e praticar o ensino bíblico sobre perdão, senão acabamos por transformar o adultério em um caminho inevitável para o novo casamento. Embora a infidelidade conjugal seja uma exceção que possa, em situações extremas, viabilizar o divórcio e o novo casamento depois de o perdão ser insistentemente desprezado, não quer dizer que *tenha de*, inevitavelmente, determinar o divórcio e um novo casamento!

---

[3] LOPES, Hernandes Dias. *Casamento, divórcio e novo casamento.* São Paulo: Hagnos, 2005, p. 108.

A QUESTÃO DO ABANDONO

Uma situação em que se questiona se a Bíblia autoriza ou não o novo casamento é a do abandono do matrimônio por um dos cônjuges, ou o que alguns denominam de "abandono por causa da fé". Entendo que, ao falar sobre abandono, Paulo se referiu ao divórcio e não ao novo casamento:

> Ora, *aos casados*, ordeno, não eu, mas o Senhor, que a mulher não se separe do marido (se, porém, ela vier a separar-se, que não se case ou que se reconcilie com seu marido); e que o marido não se aparte de sua mulher. *Aos mais* digo eu, não o Senhor: se algum irmão tem mulher incrédula, e esta consente em morar com ele, não a abandone; e a mulher que tem marido incrédulo, e este consente em viver com ela, não deixe o marido. Porque o marido incrédulo é santificado no convívio da esposa, e a esposa incrédula é santificada no convívio do marido crente. Doutra sorte, os vossos filhos seriam impuros; porém, agora, são santos. Mas, se o descrente quiser apartar-se, que se aparte; em tais casos, não fica sujeito à servidão nem o irmão, nem a irmã; Deus vos tem chamado à paz.
>
> 1Coríntios 7.12-15, ARA

Muitas vezes, a fé diferente poderia tornar-se até mesmo motivo de separação, especialmente em um tempo e em lugares em que a conversão ao cristianismo representava um enorme choque cultural. Entretanto, o apóstolo instrui maridos e esposas cristãos a *não se separarem* dos seus cônjuges não cristãos. Embora um cristão não deva se casar com um não cristão (2Coríntios 6.14), é diferente quando alguém já casado se converte a Cristo e o seu cônjuge, não. Não há proibição bíblica de se permanecer nessa relação; pelo contrário, a instrução aos cristãos é que não se separarem do cônjuge não cristão.

O apóstolo Paulo também declara que, nesse caso, por conta do princípio de uma só carne, o cristão não será contaminado na relação com o cônjuge não cristão. Na verdade, o cônjuge incrédulo é que será santificado pelo convívio com o cristão (1Coríntios 7.14). As Escrituras ainda enfatizam a necessidade de que o cônjuge convertido mantenha um bom testemunho de vida cristã a fim de ganhar o cônjuge não convertido para Cristo (1Pedro 3.1). Contudo, as Escrituras declaram: "se o descrente quiser apartar-se, que se aparte", como se dissesse: "Faça sua parte e fique nesse casamento, contudo, se você for abandonado pelo outro, paciência!". Em uma situação como essa, o conselho bíblico é claro: "em tais casos, não fica sujeito à servidão nem o irmão, nem a irmã; Deus vos tem chamado à paz". Tenho visto pessoas aplicarem esse princípio de modo inverso: o convertido alega ter o direito de deixar o cônjuge incrédulo. A questão é que isso é contrário às Escrituras! Ser abandonado é diferente de abandonar.

Aliás, penso que, quando Paulo fala sobre o cristão abandonado não ficar sujeito à servidão, não está, necessariamente, dizendo que essa pessoa pode se casar novamente. Os versículos 10 e 11 do mesmo capítulo trazem uma ordem muita clara: "Aos casados, ordeno, não eu, mas o Senhor, que a mulher não se separe do marido. Mas, se ela se separar, que não se case de novo ou que se reconcilie com o seu marido. E que o marido não se divorcie da sua esposa" (1Coríntios 7.10,11). Por que depois de uma instrução tão clara da parte de Deus, Paulo contradiria o que o Senhor já havia ordenado? Por que Paulo precisaria acrescentar outra exceção quando Cristo falou de uma só?

Entendo que a expressão "o irmão ou a irmã não está sujeito à escravidão" fala que eles deveriam estar em paz em relação a Deus e ao seu testemunho diante de outros cristãos, mesmo tendo experimentado o fim do matrimônio. Essa afirmação, à luz do que Paulo já havia dito da parte de Deus e somada à única exceção apresentada por Jesus para a possibilidade de um divórcio seguido de novo casamento, não admite a permissão de novo casamento somente por causa de abandono.

A palavra grega traduzida como "servidão" é *douloo*, que significa "fazer um escravo de", "reduzir à escravidão" e, num sentido metafórico, "entregar-se totalmente às necessidades e ao serviço de alguém". A palavra "cônjuge" significa "companheiro de jugo", ou, num sentido metafórico, "alguém que está sob a mesma servidão". Penso que isso não prova, por si mesmo, que Paulo estivesse autorizando o novo casamento em caso de abandono. Se isso fosse verdade, qualquer pessoa abandonada pelo cônjuge poderia, então, casar-se de novo, o que anularia a única exceção que Jesus ensinou a respeito do assunto.

Tenho visto estudiosos tentar explicar por que o apóstolo Paulo teria acrescentado uma exceção a mais que Jesus. As razões variam entre a alegação de que Jesus falou aos judeus e Paulo aos gentios (já refutamos esse argumento) e até ao fato de que Jesus não teria previsto as mudanças necessárias quando o evangelho alcançasse os gentios, um total absurdo!

Cristo deixou claro que a única razão, além da morte, para a quebra de uma aliança matrimonial é o adultério. Portanto, a meu ver, as duas únicas situações em que a Palavra de Deus autoriza o novo casamento são a morte de um dos cônjuges ou o adultério seguido de rejeição (insistente) do perdão e da tentativa de reconciliação. O "abandono por causa da fé", sem ser seguido de nova relação adúltera, não entra nessa lista, embora, em termos práticos, dificilmente um incrédulo vá abandonar o cônjuge para viver sozinho. Segundo Hernandes Dias Lopes:

> Se um casal vier a se separar depois de ter passado uma crise conjugal que se tornou insustentável, o caminho estabelecido pela Palavra de Deus é reconciliar-se ou permanecer separado, sem contrair novas núpcias. [...] Após a separação sem base bíblica, ou seja, sem ser por infidelidade sexual ou abandono, se um dos cônjuges se casar novamente, estará cometendo adultério, porque Deus não reconhece a validade desse tipo de divórcio.[4]

É importante ressaltar que a possibilidade de restauração não implica que isso se dará em toda situação de infidelidade. Há cônjuges infiéis que não querem se arrepender e restaurar a aliança. Em circunstâncias como essa, creio não apenas que a vítima tem direito de reconstruir a vida como, também, que há muita injustiça contra quem foi abandonado por um cônjuge infiel — falando de forma generalizada, claro. Derek e Ruth Prince tecem um comentário interessante sobre o assunto:

> Certamente, nunca foi a intenção divina que a união matrimonial acabasse em divórcio. Rastreando até a sua raiz, ele é sempre o resultado do distanciamento do homem dos caminhos do Senhor e de seus padrões. Não há justificativa, porém, para tratar o divorciado de maneira arbitrária ou não bíblica.
>
> Nunca foi a intenção do Altíssimo para os seus filhos que eles roubassem uns aos outros. O roubo, tal como o divórcio, é o resultado do pecado no coração humano. Mesmo assim, roubos são cometidos, e tanto a Igreja como a sociedade reconhecem a obrigação de se lidar com isso de forma justa e realista. Nenhuma pessoa sensata adota a seguinte postura: "Roubar é mau; sendo assim, devemos impor a lei sobre ambas as partes. Nós vamos

[4] LOPES, Hernandes Dias. *Casamento, divórcio e novo casamento.* São Paulo: Hagnos, 2005, p. 116.

prender tanto a pessoa que cometeu o roubo quanto a que foi roubada". Obviamente, isso seria um exagero da justiça!

Ainda assim, em se tratando de divórcio, a Igreja tem frequentemente seguido a mesma linha, recusando-se a reconhecer entre a parte inocente e a culpada. "O divórcio é ruim", a Igreja tem declarado, "então vamos impor a mesma pena às duas partes. Nós proibiremos os dois de se casarem novamente". De fato, a parte inocente foi roubada de algo mais precioso que bens materiais, e a pena imposta a tal pessoa é mais severa do que um período de prisão.[5]

Que o Senhor nos ajude a não deixarmos de crer em milagres restauradores do matrimônio e a não sermos injustos com os que, ainda que lutando pelo casamento, sofreram as dores da infidelidade e a perda dolorosa e desastrosa do matrimônio.

5 PRINCE, Derek; PRINCE, Ruth. *Deus forma casais.* Rio de Janeiro: Graça Editorial, 2010, p. 157.

PARA REFLEXÃO

1. Vimos que, embora o divórcio tenha sido permitido por Deus, nunca foi encorajado por ele. Qual é a diferença entre uma coisa e outra?

2. Quais são os motivos bíblicos pelos quais um cristão tem direito a um novo casamento?

3. Qual é o modelo bíblico do perdão? Por que o divórcio deveria ser a última opção, em vez de a primeira?

MEU MAIOR DESAFIO

Escreva, no espaço abaixo, a sua principal dificuldade para pôr em prática o que é proposto neste capítulo. Em seguida, anote o que você pode fazer para superar esse desafio.

OREMOS

Pai, quero honrar a aliança matrimonial, tanto a parte que diz respeito ao meu cônjuge como a que diz respeito a ti. Peço tua bênção, tua proteção e teu favor sobre o meu casamento. Oro para que minha aliança conjugal seja preservada e sempre te glorifique. Que a tua Palavra alimente minha visão e convicção, e que nunca haja lugar para o engano em minha vida.

Em nome de Jesus Cristo. Amém.

7

O CORDÃO DE TRÊS DOBRAS

No ato da criação do mundo, o Senhor afirmou: "*Não é bom que o homem esteja só*" (Gênesis 2.18). Viver sozinho não é o ideal de Deus para a maioria das pessoas. A Bíblia é clara que melhor é serem dois do que um:

> *Melhor é serem dois do que um*, porque maior é o pagamento pelo seu trabalho. Porque se caírem, um levanta o companheiro. Mas ai do que estiver só, pois, caindo, não haverá quem o levante. Também, se dois dormirem juntos, eles se aquecerão; mas, se for um sozinho, como se aquecerá? Se alguém quiser dominar um deles, os dois poderão resistir; o cordão de três dobras não se rompe com facilidade.
>
> Eclesiastes 4.9-12

O rei Salomão, autor de Eclesiastes, não estava se referindo especificamente ao casamento, mas à unidade presente em qualquer tipo de relacionamento. Contudo, esse princípio bíblico não exclui, em hipótese alguma, a relação conjugal. E é dentro do contexto da vida do casal que precisamos compreender verdades que se relacionam com outras declarações bíblicas acerca do casamento.

O texto cita quatro áreas em que o companheirismo faz toda a diferença: parceria, suporte, cuidado e proteção. Sem essas quatro expressões de companheirismo, talvez fosse melhor declarar o inverso, que é melhor ser um do que dois, pois sem esses "benefícios", o "lucro" da companhia desaparece. Vamos refletir um pouco sobre cada uma dessas expressões.

PARCERIA

O primeiro benefício mencionado na declaração bíblica de que é melhor serem dois do que um é que "maior é o pagamento pelo seu trabalho". Isso fala de duas coisas: parceria nas conquistas e sinergia, que é o resultado dessa parceria.

A mulher foi criada por Deus para ser uma auxiliadora idônea capaz (Gênesis 2.18). Portanto, é justo afirmar que o homem não foi criado por Deus para "conquistar sozinho", mas para viver a relação de parceria nas conquistas da vida a dois. O Criador reconheceu que o homem precisaria de ajuda e criou a mulher com o propósito e a capacidade de ajudá-lo.

Isso fala não só de conquistas materiais e geração de renda. Embora a palavra hebraica traduzida como "pagamento pelo seu trabalho" seja *sakar*, que significa "soldo", "salário", "pagamento", também tem o significado de "recompensa". O casamento é uma parceria contínua. Desde procriação, cuidado, provisão e educação dos filhos até os ganhos materiais e financeiros, marido e mulher devem caminhar como parceiros. Mesmo sendo o cabeça da esposa e tendo a responsabilidade final nas decisões, o esposo deve ouvir os conselhos dela e incluí-la em seus projetos.

Se cada um quiser viver por si, como se fossem dois solteiros dividindo a mesma cama e o mesmo teto, não poderão dizer que é melhor serem dois do que um. A beleza da parceria, além do companheirismo e da cumplicidade nas conquistas, também pode ser vista nos resultados. Melhor paga do trabalho não significa um salário que é dobrado para depois ser repartido entre os dois: isso não mudaria em nada o que cada um já vivia quando solteiro. A verdade é que, juntos, mesmo repartindo, o casal conquista mais! Em vez de apenas somar resultados, a parceria os multiplica! Isso é sinergia, princípio que encontramos na Bíblia: "Como poderia um só perseguir mil, e dois fazerem fugir dez mil, se a sua Rocha não os tivesse vendido, se o Senhor *não os tivesse entregue?*" (Deuteronômio 32.30; v. tb. Levítico 26.7-9).

Podemos trazer o princípio da sinergia para o planejamento familiar, a criação dos filhos, o trabalho e as conquistas materiais — e não só para a dimensão natural, mas, também, para a espiritual, traduzida na vida de oração do casal.

Tenho aprendido a incluir a participação de minha esposa em tudo que faço. Desde o planejamento financeiro até as questões do ministério. Kelly participa na forma como prego e ensino (na preparação e na avaliação da mensagem), no modo como conduzo as reuniões ministeriais e a vida da igreja, no planejamento de minhas viagens ministeriais e, mesmo quando não pode me acompanhar, fica na retaguarda, intercedendo por mim. Sou muito grato a Deus por me permitir viver em parceria com minha esposa!

Porém, se os cônjuges decidem viver cada um por si, sem a dimensão de parceria proposta nas Escrituras, não poderá se dizer que é melhor serem dois do que um.

SUPORTE

A Escritura declara que "se caírem, um levanta o companheiro", o que mostra que, nos momentos de altos e baixos, o que está melhor deve ajudar o outro. Encorajamento, apoio e suporte são sempre essenciais à união matrimonial.

Muitas pessoas entram com a motivação e a expectativa erradas no matrimônio, pensando muito mais em receber do que em oferecer ao companheiro de aliança. É correto esperar receber suporte do seu cônjuge, mas, antes de esperar receber (ou mesmo cobrar essa atitude), devemos oferecer suporte. Lembre-se de que estamos falando dos padrões de Deus para o casamento, e não do matrimônio segundo o mundo. Portanto, espera-se dos cônjuges cristãos um comportamento que demonstre maturidade cristã. Essa maturidade, por sua vez, nos faz compreender que dar é mais importante que receber (Atos 20.35).

Quando nosso primeiro filho, Israel, nasceu, Kelly entrou em crise. Estávamos casados havia dois anos e meio, mas ela tinha saído de casa e mudado para a nossa cidade somente um ano antes do casamento. Portanto, minha esposa estava morando longe dos pais havia pelo menos três anos e meio. A distância de quase setecentos quilômetros entre nossa casa e a dos meus sogros, somada à limitação financeira dos primeiros anos de casados, não nos permitia vê-los com tanta frequência quanto gostaríamos.

De repente, após o nascimento de Israel, minha esposa começou a demonstrar sinais de tristeza por estar tão longe da família de origem, pois partia seu coração saber que nosso filho cresceria longe dos avós e do restante da família. Conversamos e oramos acerca disso várias vezes e o sentimento dela parecia somente se agravar.

Um dia, tive uma conversa séria com Kelly e disse que percebia que ela não estava conseguindo superar aquilo, embora continuasse se esforçando muito para me apoiar. Expliquei que, embora ela não reclamasse nem pedisse para nos mudarmos, era evidente que seu coração não estava mais na cidade onde morávamos. Diante disso, eu lhe disse que, em função do que ela estava enfrentando, eu estava disposto a deixar o pastorado daquela igreja para nos mudarmos mais para perto da cidade de nossos pais. Kelly, então, se alarmou com a sugestão e disse que não queria atrapalhar meu ministério. Após muita oração, ela entendeu que não era a hora de nos mudarmos, e que o Senhor a ajudaria a vencer aquela crise — o que de fato aconteceu.

Mesmo não tendo nos mudado, naquele dia Kelly percebeu que meu compromisso com ela era bem maior do que ela imaginava. Essa foi minha primeira experiência no casamento na qual realmente enxergamos a importância de oferecer suporte um ao outro. Eu faria qualquer coisa para apoiar minha esposa e vê-la feliz; ela, por sua vez, não queria me tirar do propósito de Deus.

Penso que se tivéssemos agido de forma egoísta, com ela lutando para estar perto dos pais e eu lutando pelo meu ministério, nossa relação, em vez de ser consolidada, como foi, teria sofrido um sério desgaste. Oferecer suporte ao cônjuge tem valor imensurável. Se trouxermos esse padrão de conduta cristã ao nosso casamento, tudo será diferente! Porém, se os cônjuges decidem apenas esperar pelo suporte do outro, não poderão dizer que é melhor serem dois do que um.

Reveja esses valores em seu casamento e nunca deixe de ser um instrumento divino de apoio, fortalecimento, consolo e amparo ao cônjuge!

CUIDADO

O texto de Eclesiastes também afirma que "se dois dormirem juntos, eles se aquecerão". Acredito que, no contexto da união matrimonial, isso fala de levar calor para a vida do companheiro, ajudá-lo a superar os desconfortos da vida e promover pequenas alegrias e cuidados. Quando um casal está brigado, normalmente não gosta de dormir junto, porque, ainda que seja "só dormir", esse é um ato de intimidade.

Na minha primeira semana de casado, Kelly fez uma brincadeira comigo acerca desse assunto. Ela me falou que a mãe dela a havia aconselhado, antes de nos casarmos, que, acontecesse o que acontecesse, nunca deveria sair do quarto. Quando eu ia elogiar a sabedoria da minha sogra ao dar tal conselho, ela terminou com a seguinte frase: "Se alguém tiver de sair do quarto, que seja ele! Você, minha filha, defenda o seu território!". Nós rimos juntos da brincadeira – que nunca foi um conselho de verdade –, mas decidimos, desde aquele dia, vigiar para que isso nunca acontecesse de fato.

A Palavra de Deus nos adverte: "Fiquem irados e não pequem. Não deixem que o sol se ponha sobre a ira de vocês, nem deem lugar ao diabo" (Efésios 4.26,27). Conclui-se, portanto, que um casal nunca deve deixar a ira durar até o dia seguinte; pelo contrário, os cônjuges devem se reconciliar antes de dormir.

O conceito de amor e intimidade de um casal está fortemente associado ao quarto e à cama. E esse tipo de cuidado mútuo não pode faltar. Porém, aquecer um ao outro é algo que, no casamento, fazemos não só de modo literal, sob cobertas, mas, também, no âmbito emocional. São conversas e expressões de carinho — por meio de palavras, presentes e atitudes — que não permitem que o coração do cônjuge esfrie.

Cuidado não é só prover e arrumar a casa. É, também, falar de assuntos pessoais para o outro, prover pequenos mimos, atentar para tudo aquilo que demonstra preocupação. Quando isso falta, a relação se deteriora.

PROTEÇÃO

O texto de Eclesiastes diz também: "Se alguém quiser dominar um deles, os dois poderão resistir". Isso fala de proteção, defesa mútua. Quando as batalhas surgem, o casal deve aprender a se unir e resistir em união. Há muitos tipos de lutas e inimigos que tentam prevalecer contra nós, e todos têm fundo espiritual (Efésios 6.11-13).

Paulo adverte acerca da realidade da batalha espiritual, deixando claro quem é o inimigo, e revela que, para oferecer resistência, o cristão deve se revestir da armadura de Deus (Efésios 6.14-17). Mas, depois de falar das armas, ele ensina como se deve travar essa batalha: "*Orem* em todo tempo no Espírito, *com todo tipo de oração* e súplica, e para isto vigiem com toda perseverança e súplica por todos os santos" (Efésios 6.18).

A oração não é apresentada como uma arma, mas como a própria guerra, na qual devemos entrar munidos da armadura de Deus. O primeiro nível de resistência de um casal contra ataques espirituais deve ser a oração, e temos de interceder por nosso cônjuge. Gosto de um exemplo bíblico que mostra um cristão em luta de intercessão: "Saúda-vos Epafras, que é dos vossos, servo de Cristo, *combatendo sempre por vós em orações*, para que vos conserveis firmes, perfeitos e consumados em toda a vontade de Deus" (Colossenses 4.12, ARC). A palavra grega traduzida como "combatendo" neste versículo é *agonizomai*, que significa: "entrar em uma competição", "competir com adversários", "lutar", "esforçar-se com zelo extremo", "empenhar-se em obter algo".

Além da batalha espiritual que travamos por meio da oração, há outros níveis de resistência, como a guerra contra a sensualidade e as propostas de envolvimento sexual ilícito. Já nos Dez Mandamentos, vemos duas ordenanças que envolvem a saúde matrimonial: não adulterar e não cobiçar a mulher do próximo. Portanto, percebemos que Deus sempre tratou do assunto como uma área que requer muito cuidado.

Paulo advertiu: "Não se privem um ao outro, a não ser talvez por mútuo consentimento, por algum tempo, para se dedicarem à oração. Depois, retomem a vida conjugal, *para que Satanás não tente vocês* por não terem domínio próprio" (1Coríntios 7.5). A Bíblia diz que Satanás, como tentador, vai procurar explorar as brechas que os cônjuges dão nessa área. Reconheço, porém, que essa batalha não se trava somente com oração, e que o tipo de resistência que o casal deve oferecer contra os ataques sensuais envolve cuidar e suprir as necessidades físicas um do outro.

Um cônjuge pleno nos âmbitos emocional e sexual não estará tão exposto a esse tipo de ataque como aquele que tem sido negligenciado nessas áreas. Provérbios mostra isso: "Quem está farto pisa o favo de mel, mas para o faminto até o amargo é doce" (Provérbios 27.7).

O casal deve lutar junto, e não um contra o outro. Talvez um tipo de defesa que deva ser praticada pelo marido e pela mulher seja o de proteger ao cônjuge de si mesmo. Muitas vezes existem ataques verbais e emocionais que ferem profundamente o cônjuge e entristecem o Espírito Santo:

> Não saia da boca de vocês nenhuma palavra suja, mas unicamente a que for boa para edificação, conforme a necessidade, e, assim, transmita graça aos que ouvem. E não entristeçam o Espírito Santo de Deus, no qual vocês foram selados para o dia da redenção. Que não haja no meio de vocês qualquer amargura, indignação, ira, gritaria e blasfêmia, bem como qualquer maldade.
>
> Efésios 4.29-31

O matrimônio é o mais profundo laço de relacionamento e supera até o dos filhos com os pais. Essa é a lógica por trás da razão pela qual o homem deixa pai e mãe para se unir à sua mulher. Contudo, muitos cônjuges erram ao permitir interferências dos pais no seu relacionamento conjugal. Devemos honrar os pais, mas quando eles ou os sogros começam a atacar e implicar com o cônjuge, você deve protegê-lo — a menos, é claro, que ele esteja realmente perseverando no pecado.

Nessa dimensão de relacionamento, que envolve questões emocionais, a intercessão recíproca é importantíssima. Nunca deixe de orar por seu cônjuge. Não o exponha a ninguém. Não fale sobre as fraquezas dele diante de terceiros. Não o critique em público. Proteja-o de ser ferido emocionalmente!

REFORÇO TRIPLO

Eclesiastes diz que "o cordão de três dobras não se rompe com facilidade", o que deixa claro que se é melhor serem dois que um, é ainda melhor serem três que dois. Salomão afirma que se alguém quiser prevalecer contra um, os outros dois lhe resistirão. Sabemos que um cordão dobrado oferece maior resistência. Porém, ao acrescentar-se uma terceira dobra, ele fica ainda mais resistente.

Em qualquer tipo de relacionamento, a terceira dobra poderia ser mais uma pessoa. Porém, quando examinamos a revelação bíblica acerca do casamento, descobrimos que, no modelo divino, deve sempre haver a participação de uma terceira parte: o próprio Deus.

Quero, portanto, usar a ilustração da terceira dobra como uma referência à presença de Deus a ser cultivada na vida do casal. Assim como Deus estava diariamente com Adão e Eva no Éden, ele também quer participar do nosso matrimônio.

PARECIDOS COM DEUS

O Senhor deseja participar do casamento de forma direta e interativa. Não temos a capacidade de fazer o relacionamento conjugal funcionar somente por nós mesmos (João 15.5). A Palavra de Deus ensina que precisamos aprender a edificar com a bênção de Deus, e não apenas com a própria força e capacidade: "*Se o SENHOR não edificar a casa, em vão trabalham os que a edificam.* Se o SENHOR não guardar a cidade, em vão vigia a sentinela" (Salmos 127.1).

"Edificar a casa" é, em linguagem bíblica, erigir o lar, não o prédio em que se mora. Provérbios declara: "A mulher sábia edifica a sua casa, mas a insensata a derruba com as próprias mãos" (Provérbios 14.1). Isso não quer dizer que a mulher insensata demole paredes ou que a sábia empilha tijolos, pois o texto fala do ambiente do lar, e não de um edifício físico. Há ingredientes importantes para a edificação da casa (Provérbios 24.3), mas o essencial é a presença de Deus, cultivada por meio de oração e adoração.

Outra maneira como Deus se torna parte de nosso casamento é como modelo e referência. O Senhor é o padrão no qual devemos nos espelhar (Efésios 5.1). O Novo Testamento revela com clareza que o plano divino para cada um de nós é nos conformar à imagem do Senhor Jesus: "Pois aqueles que Deus de antemão conheceu ele também predestinou para serem conformes à imagem de seu Filho, a fim de que ele seja o primogênito entre muitos irmãos" (Romanos 8.29). Portanto, Cristo é nosso referencial de conduta.

O apóstolo João declara que "quem diz que permanece nele, esse deve também andar assim como ele andou" (1João 2.6). O apóstolo Pedro afirmou que devemos seguir os passos de Jesus, o que significa caminhar como ele caminhou (1Pedro 2.21). A transformação que experimentamos na vida cristã é progressiva e tem destino certo: tornarmo-nos semelhantes a Jesus (2Coríntios 3.18). Se Cristo se tornar o modelo ao qual os cônjuges buscam se conformar, certamente se aproximarão um do outro e viverão muito melhor.

Pense em dois cônjuges cristãos manifestando as nove virtudes do fruto do Espírito: "amor, alegria, paz, longanimidade, benignidade, bondade, fidelidade, mansidão, domínio próprio" (Gálatas 5.22,23). Se manifestarmos a natureza de Deus, andaremos na plenitude do propósito divino para os relacionamentos.

Cresci ouvindo meu pai afirmar: "Quando duas coisas se parecem com uma terceira, forçosamente serão iguais entre si". Ele dizia que se o marido e a mulher se tornam parecidos com Deus, ficam mais parecidos um com o outro, isto é, mais compatíveis entre si.

Em 1995, quando eu era recém-casado, fiz um curso de casais. Recordo-me de uma ilustração interessante apresentada no evento: um triângulo, que tinha na ponta de cima a palavra *Deus* e nas duas de baixo as palavras *marido* e *esposa*. Eles mostraram, por meio dessa ilustração que, quanto mais o marido e a esposa subiam em direção a Deus, mais próximos ficavam um do outro. Nunca mais eu e Kelly nos esquecemos desse exemplo, e espero que essa ilustração ajude você a memorizar esse princípio.

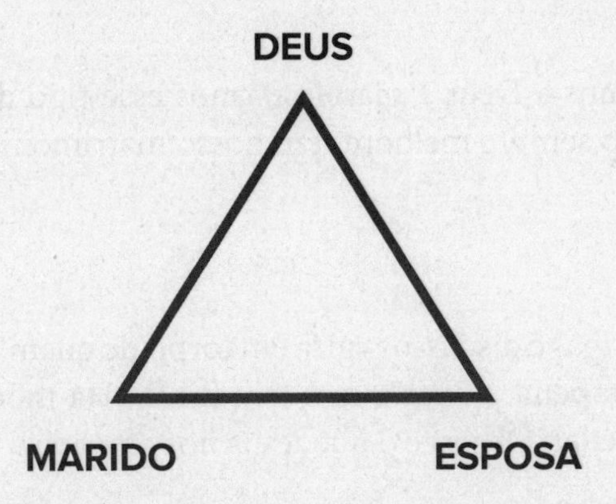

Entre as muitas atitudes que estão diretamente relacionadas à pessoa de Deus e que deveríamos reproduzir na vida espiritual e matrimonial, desejo destacar três. Certamente, muitos casamentos poderiam ser salvos somente por praticar estes princípios: amar, ceder e perdoar.

Amar

Se Deus será parte de nosso casamento como modelo e referência, temos de aprender a andar em amor, uma vez que as Escrituras nos revelam que Deus é amor (1João 4.8). Essa revelação não foi dada apenas para que saibamos quem o Senhor é, mas para que nos tornemos imitadores dele: "Portanto, sejam imitadores de Deus, como filhos amados. E vivam em amor, como também Cristo nos amou e se entregou por nós, como oferta e sacrifício de aroma agradável a Deus" (Efésios 5.1,2).

Há diferentes palavras usadas no original grego e que traduzimos em português como "amor": *eros* (que retrata o amor de expressão física, sexual), *storge* (que fala de amor familiar), *philia* (que aponta para o amor de irmão e/ou amigo), e *agape* (que enfoca o amor sacrificial). Quando a Bíblia fala do amor de Deus, a palavra é *agape* — o tipo de amor que devemos manifestar. Paulo ensina como é a expressão desse amor:

> O amor é paciente e bondoso. O amor não arde em ciúmes, não se envaidece, não é orgulhoso, não se conduz de forma inconveniente, não busca os seus interesses, não se irrita, não se ressente do mal. O amor não se alegra com a injustiça, mas se alegra com a verdade. O amor tudo sofre, tudo crê, tudo espera, tudo suporta.
>
> 1Coríntios 13.4-7

Se imitarmos a Deus e manifestarmos esse tipo de amor, as coisas certamente serão sempre melhores em nosso matrimônio.

Ceder

A maioria das brigas e discussões gira em torno de quem está certo. Muitas vezes, não vale a pena provar quem tem razão. Há momentos em que a melhor coisa é ceder. Observe o que Jesus nos ensinou a fazer:

> Eu, porém, lhes digo: Não resistam ao perverso. Se alguém lhe der um tapa na face direita, ofereça-lhe também a face esquerda. Se alguém quer processar você e tirar-lhe a túnica, deixe que leve também a capa. Se alguém obrigar você a andar uma milha, vá com ele duas.
>
> Mateus 5.39-41

Se tomarmos Deus como nosso modelo e referencial e seguirmos seus princípios, o casamento tem tudo para funcionar. O matrimônio não é um desafio por causa da pessoa com quem convivemos, e sim porque esse convívio suscita nossa carnalidade e nosso egoísmo e mostra quem de fato somos. A dificuldade não está no cônjuge e sim na nossa inaptidão em ceder. Se amadurecermos nessa área, nossa vida conjugal definitivamente colherá frutos.

Perdoar

Se imitarmos nosso modelo e referencial, que é Deus, e perdoarmos como ele perdoa, levaremos nosso relacionamento a um profundo nível de cura, restauração e intervenção divina. Consequentemente, garantiremos a sua durabilidade. Para isso, é importante saber que Deus perdoa como um ato de misericórdia, e não de merecimento, e de forma sacrificial. A instrução bíblica é muito clara em relação a isso: "Pelo contrário, sejam bondosos e compassivos uns para com os outros, perdoando uns aos outros, como também Deus, em Cristo, perdoou vocês" (Efésios 4.32).

A conclusão é evidente: sem a ação direta do Senhor no casamento — estando presente, intervindo e sendo nosso referencial —, é impossível viver a plenitude do propósito divino para o matrimônio. E, mesmo que um casal nunca se divorcie, viverá toda a vida conjugal aquém do plano de Deus, por melhor que pareça sua relação.

PARA REFLEXÃO

1. As Escrituras afirmam que não é bom que o homem esteja só e que é melhor serem dois que um. Porém, há certos ingredientes, necessários a um relacionamento, que justificam essas afirmações. Quais são eles?

2. Vimos a necessidade de se ter Deus como "a terceira dobra" que fortalece o relacionamento. Como podemos garantir essa participação divina no matrimônio?

3. Quais são as três principais áreas em que devemos imitar a Deus? O que você descreveria ser necessário mudar para que se alcance isso?

MEU MAIOR DESAFIO

Escreva, no espaço abaixo, a sua principal dificuldade para pôr em prática o que é proposto neste capítulo. Em seguida, anote o que você pode fazer para superar esse desafio.

OREMOS

Pai eterno, não quero lutar contra teu propósito para o matrimônio. Desejo empenhar meu melhor para tornar verdadeira em meu lar a ideia de que é melhor serem dois que um, sempre confiando em ti. Suplico por tua presença e intervenção em meu casamento. Assim, além da satisfação que tu disponibilizas, poderei viver uma vida conjugal que te glorifique.

Em nome de Jesus eu oro. Amém.

OS DEVERES DOS CÔNJUGES

O casamento traz consigo direitos e deveres, tanto da parte do marido quanto da mulher: “Que o marido conceda à esposa o que lhe é devido, e também, de igual modo, a esposa, ao seu marido” (1Coríntios 7.3). Embora esse texto se refira à vida sexual, o princípio pode perfeitamente ser aplicado ao casamento como um todo, até porque Deus cobra dos cônjuges uma série de deveres na vida matrimonial. O termo em grego utilizado pelo apóstolo Paulo nesse versículo e que foi traduzido como “o que lhe é devido” é *opheilo*, que significa “dever”, “dever dinheiro”, “estar em débito com”, “aquilo que é devido”, “dívida”. Portanto, há uma dívida a ser paga no casamento.

Em matéria de relacionamentos, temos a inclinação natural de sermos melhores credores do que pagadores. Por essa razão, convido você a pôr o foco na sua dívida e não na de seu cônjuge. Jesus alertou sobre ver o cisco no olho do irmão sem reparar na trave que está em nosso olho (Lucas 6.41), pois sabe da tendência humana de apontar para o outro sem assumir os próprios defeitos. Porém, devemos começar refletindo sobre a nossa parte nos deveres conjugais — até porque, assim, torna-se bem mais fácil estimular o parceiro a também fazer sua parte.

A natureza da união conjugal não somente envolve renúncia, mas, também, começa com ela. Por isso, o Criador determinou que se deve deixar os pais antes de se unir ao cônjuge. O pastor Hernandes Dias Lopes escreveu:

> O casamento é um relacionamento profundo que demanda o abandono de outros relacionamentos. É uma separação antes de ser uma união. O casamento exige abnegação e devoção, demanda constante, renúncia e contínuo investimento. Só as pessoas altruístas, que oferecem mais do que cobram, que fazem mais depósitos do que retiradas, podem ser bem-sucedidas no casamento.[1]

Fato é que na relação conjugal temos direitos, mas, também, deveres. O problema de muitos é que entram no matrimônio atrás de um nível de realização que desejam mais para si do que para o companheiro de aliança, no que costumo chamar de "mentalidade parasita".

A MENTALIDADE PARASITA

O livro de Provérbio trata da "mentalidade parasita", algo extremamente destrutivo para um relacionamento: "A sanguessuga tem duas filhas, que se chamam Dá e Dá. Há três coisas que nunca se fartam; na verdade, há quatro que nunca dizem: 'Basta!' Elas são o mundo dos mortos, o ventre estéril, a terra, que não se farta de água, e o fogo, que nunca diz: 'Basta!'" (Provérbios 30.15,16).

Segundo os dicionários, parasitas são organismos que vivem em associação com outros dos quais retiram os meios para a sua sobrevivência, normalmente prejudicando o organismo hospedeiro. A sanguessuga é um parasita. Ela não oferece nada ao ser de quem retira seu alimento, e extrai dele tudo que puder. Provérbios fala desse anelídeo e suas filhas não apenas como quem só quer receber e nada tem a oferecer; mas como seres que nunca estão satisfeitos com o que têm, não importa quanto recebam.

Pessoas que se casam com a mentalidade parasita são "duas pulgas e nenhum cachorro", como diz Craig Hill em seu livro de mesmo nome.[2] Isso significa que se casam como uma pulga que encontrou um cachorro, isto

---

[1] LOPES, Hernandes Dias. *Casamento, divórcio e novo casamento.* São Paulo: Hagnos, 2005, p. 24.

[2] Universidade da Família, 2009.

é, com o desejo de sugar do outro tudo que lhe dê satisfação. Porém, normalmente, o outro cônjuge também é uma pulga à espera de seu cachorro, e não demora muito para que descubram que essa relação está destinada à crise. Se queremos um casamento abençoado, devemos abandonar a atitude parasita e procurar entender a visão bíblica de servir o cônjuge.

Mais do que compreender os direitos da aliança matrimonial, devemos entender os deveres que passamos a ter ao nos casarmos. Precisamos atentar para os direitos do outro (que são os nossos deveres) e não para nossos direitos (que são os deveres do outro). É assim que Deus vê o casamento. Ninguém deveria casar para ser feliz, mas para fazer o cônjuge feliz: "Um homem recém-casado não sairá à guerra, nem lhe será imposto qualquer encargo. Durante um ano ficará livre em casa e *fará feliz* a mulher com quem se casou" (Deuteronômio 24.5). É claro que essa expressão não significa que somente a mulher deva ser feita feliz no relacionamento conjugal, até porque Deus criou a mulher por causa do homem (Gênesis 2.18). Logo, na revelação bíblica, o homem vive em função da mulher e vice-versa, como Paulo ressaltou:

> Quem não é casado cuida das coisas do Senhor, de como agradar ao Senhor. Mas o que se casou cuida das coisas do mundo, de como *agradar à esposa*, e assim está dividido. Também a mulher, tanto a viúva como a virgem, cuida das coisas do Senhor, para ser santa, assim no corpo como no espírito. Mas a mulher casada se preocupa com as coisas do mundo, de como *agradar ao marido*.
>
> 1Coríntios 7.32-34

Se cada cônjuge procurar a felicidade do outro, ambos serão realizados. Porém, se cada um buscar apenas a própria felicidade, o relacionamento desmoronará e só restarão decepção e tristeza. Essa é a razão de ensinarmos sempre que, ao estabelecer uma aliança matrimonial, o indivíduo deve estar ciente da necessidade de morrer para si mesmo e buscar agradar o cônjuge: "Ninguém busque o seu próprio interesse, *e sim o de seu próximo*" (1Coríntios 10.24).

John e Lisa Bevere compartilham:

> O que nós aprendemos é que o casamento tem muito mais a ver com ser a pessoa certa do que encontrar a pessoa certa. Não nos entenda mal, ao procurar por um cônjuge, é importante buscar a orientação de Deus e ter

> a paz do Espírito. Mas frequentemente acreditamos que a pessoa certa preencherá todo vazio de nossas vidas. A questão é que nenhum ser humano está apto a cumprir essa tarefa; esse é um papel que somente Deus pode exercer. E você não tem o poder de controlar o estado em que alguém se encontra nem mudar essa pessoa para transformá-la exatamente em quem você acha que precisa ter ao seu lado. O que você pode fazer é abraçar o processo de refinamento de Deus e tornar-se um homem ou uma mulher que entrega a sua vida de forma abnegada ao seu cônjuge ou futuro cônjuge. Você encontrará mais realização no processo de entrega do que buscando seus próprios interesses. [...] Podemos lhe garantir que Deus de fato quer que você seja feliz — mas a verdadeira felicidade é o produto derivado de uma busca maior. A felicidade vem quando realizamos um propósito mais elevado, e qualquer propósito pelo qual valha a pena lutar exigirá que você abra mão de sua vida. Na erradicação do egoísmo, encontramos a verdadeira felicidade. O casamento oferece o ambiente perfeito para esse confronto com o egocentrismo.[3]

A Palavra de Deus nos ensina que, no processo de transformação, devemos passar pela renovação de mente (Romanos 12.2), o que inclui o abandono da mentalidade parasita. O apóstolo Paulo transmitia constantemente tais verdades, inclusive, por seu exemplo (uma extensão do exemplo de Jesus):

> Não se tornem motivo de tropeço nem para judeus, nem para gentios, nem para a igreja de Deus, *assim como também eu* procuro, em tudo, ser agradável a todos, *não buscando o meu próprio interesse*, mas o de muitos, para que sejam salvos. [...] Sejam *meus imitadores*, como também *eu sou imitador de Cristo.*
>
> 1Coríntios 10.32,33; 11.1

A Bíblia é um livro sobre relacionamentos. Tanto que, nos Dez Mandamentos (Êxodo 20.1-17), o Senhor estabelece uma ordem para eles: as quatro primeiras ordenanças falam de nossa relação com Deus, enquanto as demais tratam de nossa relação com as pessoas. No Novo Testamento, Jesus estabelece um novo mandamento, o amor: "Eu lhes dou um novo mandamento: que vocês amem uns aos outros. *Assim como eu os amei*, que também vocês amem uns aos outros. Nisto todos conhecerão que vocês são meus discípulos: se tiverem amor uns aos outros" (João 13.34,35).

[3] BEVERE, John; BEVERE, Lisa. *A história do casamento.* Rio de Janeiro: Edilan, 2015, p. 32-33.

A ordem de amar, em si mesma, não era novidade. O maior dos mandamentos já determinava que deveríamos amar a Deus de todo o coração e ao próximo como a nós mesmos. Mas a expressão de amor do Antigo Testamento soa egoísta: amar ao próximo *como a nós mesmos*. Já o ensino neotestamentário nos orienta a ir além e amar aos outros *como Cristo nos amou*, isto é, de forma sacrificial. Fica claro que devemos amar o próximo em detrimento de nós mesmos. A relação conjugal precisa carregar a forte mentalidade de dar, não de receber. Cito, novamente, Hernandes Dias Lopes:

> Não existe casamento perfeito. Pessoas imperfeitas realizam casamentos imperfeitos, e casamentos imperfeitos necessitam de constante abnegação e contínuo investimento. No relacionamento conjugal é preciso dar mais e pedir menos, elogiar mais e criticar menos, ouvir mais e falar menos, compreender mais e censurar menos.[4]

FOCO NO INTERESSE DO OUTRO

Paulo escreveu: "Não façam nada por interesse pessoal ou vaidade, mas por humildade, cada um considerando os outros superiores a si mesmo, não tendo em vista somente os seus próprios interesses, mas também os dos outros" (Filipenses 2.3,4). A palavra traduzida do grego por "tendo em vista" é *skopeo*, que significa "olhar", "observar", "contemplar", "fixar os olhos" ou "dirigir a atenção para alguém". É um termo que fala do nosso foco, isto é, daquilo em que pomos a atenção.

Depois de ressaltar que devemos focar os interesses dos outros, Paulo destaca o exemplo de Jesus:

> Tenham entre vocês *o mesmo modo de pensar de Cristo Jesus*, que, mesmo existindo na forma de Deus, não considerou o ser igual a Deus algo que deveria ser retido a qualquer custo. Pelo contrário, ele se esvaziou, assumindo a forma de servo, tornando-se semelhante aos seres humanos. E, reconhecido em figura humana, ele se humilhou, tornando-se obediente até a morte, e morte de cruz.
>
> Filipenses 2.5-8

[4] LOPES, Hernandes Dias. *Casamento, divórcio e novo casamento.* São Paulo: Hagnos, 2005, p. 59.

Isso é amor sacrificial! É doar-se em favor do outro; é buscar o interesse de terceiros. A forma de viver essa realidade no matrimônio é servindo o cônjuge! O pastor e escritor americano Gary Chapman afirmou certa vez que a chave que abre um casamento é a atitude de serviço mútuo entre os cônjuges. Infelizmente, a forma errada de pensar — a que chamo de mentalidade parasita — tem afetado todos os níveis de relacionamento. Mas o ensino de Jesus é radicalmente contrário a essa forma de pensar:

> Mas Jesus, chamando todos para junto de si, disse:
>
> — Vocês sabem que os que são considerados governadores dos povos os dominam e que os seus maiorais exercem autoridade sobre eles. Mas entre vocês não é assim; pelo contrário, quem quiser tornar-se grande entre vocês, que se coloque a serviço dos outros; e quem quiser ser o primeiro entre vocês, que seja servo de todos. Pois o próprio Filho do Homem não veio para ser servido, mas para servir e dar a sua vida em resgate por muitos.
>
> Marcos 10.42-45

O padrão divino para os relacionamentos é claro: primeiro se oferece aos outros aquilo que deseja para si e, então, como consequência, recebe-se de volta aquilo que foi dado. O egoísmo, que tenta centralizar a relação em torno dos próprios interesses, tem sido um fator de grande dano não apenas para o casamento, mas, também, para toda forma de relacionamento. Nossos deveres, de acordo com Jesus, incluem dar a outra face, entregar a capa junto com a túnica e andar a segunda milha.

Se tivermos esses conceitos claros em mente, entenderemos que devemos viver os relacionamentos não segundo a mentalidade parasita (de só querer receber), mas de acordo com a mentalidade divina (de que dar é mais importante): "Em tudo tenho mostrado a vocês que, trabalhando assim, é preciso socorrer os necessitados e lembrar das palavras do próprio Senhor Jesus: '*Mais bem-aventurado é dar do que receber*' " (Atos 20.35).

Timothy e Kathy Keller escreveram: "Se ambos os cônjuges dizem: 'Vou lidar com o meu egocentrismo como se ele fosse o principal problema em meu casamento', eles têm a chance de ter um casamento realmente maravilhoso".[5] As sessões de aconselhamento matrimonial acabariam se maridos e esposas competissem seriamente em negar-se a si mesmos, como afirmou

[5] In: BEVERE, John; BEVERE, Lisa. *A história do casamento.* Rio de Janeiro: Edilan, 2015, p. 32.

certa vez o pastor e escritor Walter J. Chantry. Quer saber por que tantos casamentos se desfazem em nossos dias? Porque os cônjuges só querem receber, adotando a mentalidade parasita.

Por outro lado, quem procura a felicidade do cônjuge alcança a própria felicidade! O apóstolo Paulo declarou: "Assim também o marido deve amar a sua esposa como ama o próprio corpo. Quem ama a esposa ama a si mesmo. Porque ninguém jamais odiou o seu próprio corpo. Ao contrário, o alimenta e cuida dele, como também Cristo faz com a igreja" (Efésios 5.28,29).

Amor é muito mais que um sentimento romântico, que depende do "clima" do casal. O que Deus ensina sobre o amor é muito mais intenso e profundo do que normalmente dimensionamos:

> O amor é paciente, o amor é bondoso. Não inveja, não se vangloria, não se orgulha. Não maltrata, não procura seus interesses, não se ira facilmente, não guarda rancor. O amor não se alegra com a injustiça, mas se alegra com a verdade. Tudo sofre, tudo crê, tudo espera, tudo suporta. O amor nunca perece; mas as profecias desaparecerão, as línguas cessarão, o conhecimento passará.
>
> 1Coríntios 13.4-8, NVI

A maioria dos casais, incluindo cristãos, não entende o nível de amor em que deveria caminhar. Já ouvi muitos justificarem o divórcio dizendo que "o amor acabou". Mas, se acabou, é porque não era amor. As Escrituras declaram que "o amor nunca perece", ou seja, nunca acaba! Talvez os sentimentos se deterioraram e a paixão tenha acabado, mas, se um casal andar no amor do Senhor, esse amor nunca acabará! Paulo ensina que maturidade espiritual pressupõe não viver apenas em função de si mesmo: "Ora, nós que somos fortes na fé temos de *suportar as debilidades dos fracos e não agradar a nós mesmos*. Portanto, cada um de nós *agrade ao próximo* no que é bom para edificação. Porque *também Cristo não agradou a si mesmo*" (Romanos 15.1-3).

O casamento envolve suportar as fraquezas do outro. Não se trata apenas do que cada um vai usufruir de bom, mas dos benefícios que oferecerá ao cônjuge. Portanto, antes de detalhar as responsabilidades do marido e as da esposa no matrimônio, é importantíssimo estabelecer o maior dever de cada cônjuge: *viver para amar, agradar, servir e promover a felicidade do outro*. Precisamos olhar para os deveres do matrimônio sob esse prisma.

PARA REFLEXÃO

1. Como o conceito de deveres — e não apenas de direitos — pode ajudar os cônjuges a viver melhor o matrimônio?

2. A mentalidade parasita foi definida como egoísta e aproveitadora. Como você definiria a mentalidade divina? Como, em termos práticos, ela pode ser cultivada pelo cristão?

3. Considerando a necessidade de ajustar o foco nos interesses e nas necessidades do outro, liste algumas atitudes que você poderia adotar a fim de promover a alegria do seu cônjuge

MEU MAIOR DESAFIO

Escreva, no espaço abaixo, a sua principal dificuldade para pôr em prática o que é proposto neste capítulo. Em seguida, anote o que você pode fazer para superar esse desafio.

OREMOS

Pai, reconheço a ordenança de não ter em vista somente meus interesses, mas também os dos outros, e de ter em mim o mesmo sentimento que houve em Cristo. Reconheço quanto preciso da tua ajuda no processo de negar-me a mim mesmo. Peço que o teu amor seja derramado em meu coração pelo teu Espírito, para que eu possa amar meu cônjuge revestido do teu amor.

Em nome de Jesus eu oro. Amém.

OS DEVERES DO MARIDO

Homem e mulher receberam de Deus atribuições específicas para a vida familiar, das quais algumas são iguais e outras são diferentes. Por exemplo, ao criar a mulher para ser ajudadora do marido (Gênesis 2.18), Deus definiu que o papel do homem seria o de cabeça (responsável pelo governo) do lar.

Também encontramos nas Escrituras claras referências à responsabilidade do marido de amar a esposa (Efésios 5.25) e ser seu amante (1Coríntios 7.3-5). Quando Deus criou o homem, no Éden, o Senhor lhe deu a função de lavrar e guardar o jardim (Gênesis 2.15), logo, antes de criar a mulher e estabelecer a família, o Criador definiu o papel do homem como provedor e protetor. Portanto, os cinco principais deveres do marido, além de procurar agradar e fazer feliz sua mulher, são:

1. Ser o cabeça da esposa.
2. Amar a esposa.
3. Ser amante da esposa.
4. Ser provedor.
5. Ser protetor.

Neste capítulo trataremos de cada um desses deveres.

SER O CABEÇA DA ESPOSA

Alguns homens interpretam erroneamente sua função de cabeça do lar como uma posição que pede o reconhecimento dos outros e, em especial, o da própria mulher. Porém, ser o cabeça não é apenas um privilégio, é um dever.

Lamentavelmente, muitos homens nunca assumiram esse encargo. Não é raro encontrarmos maridos negligentes que empurram para as esposas deveres e funções que não pertencem a elas: "Quero, porém, que saibam que Cristo é o cabeça de todo homem, e *o homem é o cabeça da mulher*, e Deus é o cabeça de Cristo" (1Coríntios 11.3); "Porque *o marido é o cabeça da esposa*, como também Cristo é o cabeça da igreja, sendo ele próprio o salvador do corpo" (Efésios 5.23).

A verdade bíblica da autoridade do homem sobre sua casa — começando pela esposa e estendendo-se aos filhos — tem sido pouco compreendida por muitos casais cristãos. A Palavra de Deus mostra claramente que, desde a época do Antigo Testamento, a mulher solteira permanecia sob a autoridade do pai. Naquela época, quando ela fizesse um voto, o pai teria de validá-lo; caso contrário, ela estaria liberada (Números 30.1-5). Porém, a continuação do texto bíblico também mostra que, quando essa jovem se casa, o marido passa a ter sobre ela a *mesma* autoridade que o pai tinha e, a partir de então, ele é quem teria de validar o voto, já não mais importando se o pai o fizera ou não (Números 30.6-15).

Em certa ocasião, depois que realizei uma cerimônia de casamento, minha filha Lissa, que tinha 9 anos, perguntou-me por que, em nossa cultura, é o pai que entra com a noiva para entregá-la ao noivo. Respondi que o casamento é o momento em que os filhos deixam pai e mãe para se unirem, por meio da aliança matrimonial, a fim de formar a própria família. Também aproveitei para lhe ensinar que, no momento em que o pai entrega a filha ao noivo, a autoridade que ele tinha sobre ela é transferida ao marido. Essas verdades não precisam ser ensinadas somente aos maridos, deveríamos ensiná-las aos nossos filhos desde a infância, preparando-os para o relacionamento mais importante que um dia poderão ter.

Se as mulheres ouvirem falar de submissão ao marido só depois de adultas, provavelmente reagirão de forma contrária ao conceito, pois muitas acreditam que tem a ver com domínio ou controle. Na verdade, não é nada disso, pois autoridade não é autoritarismo.

Autoridade não é autoritarismo

A Bíblia faz uma clara distinção entre autoridade e autoritarismo, que é o abuso da autoridade. Segundo os dicionários, autoritário é alguém "que se firma numa autoridade forte, ditatorial" ou "dominador, impositivo".

Deus é o cabeça de Cristo, que é o cabeça do homem (1Coríntios 11.3), com o exercício de uma autoridade abençoadora e não dominadora ou ditatorial. Assim também deve ser o exercício da autoridade do marido no lar. Jesus nos ensinou que os valores do reino de Deus são diferentes dos valores do mundo e da carne. Ele claramente nos advertiu a não buscar dominar os outros nem usar de autoridade para sermos servidos. Pelo contrário, o Senhor nos ensinou a exercer liderança servidora:

> Mas Jesus, chamando todos para junto de si, disse:
>
> — Vocês sabem que os que são considerados governadores dos povos os dominam e que os seus maiorais exercem autoridade sobre eles. Mas entre vocês não é assim; pelo contrário, quem quiser tornar-se grande entre vocês, que se coloque a serviço dos outros; e quem quiser ser o primeiro entre vocês, que seja servo de todos. Pois o próprio Filho do Homem não veio para ser servido, mas para servir e dar a sua vida em resgate por muitos.
>
> Marcos 10.42-45

Portanto, o principal papel do homem como cabeça é servir sua mulher (e, também, os seus filhos), o que envolve dar direção e tomar decisões. Porém, não faz parte de suas atribuições agir de forma abusiva, tirânica e desrespeitosa. Quando Pedro escreveu aos presbíteros, que eram os líderes responsáveis pelo governo das igrejas locais (1Timóteo 5.17), mostrou como deveriam exercer a autoridade que Deus lhes confiou: "Não como dominadores dos que lhes foram confiados, mas sendo exemplos para o rebanho" (1Pedro 5.3).

Governar não é dominar, é conduzir por meio de respeito e não de mera imposição. Alguns maridos não entendem o que significa o papel de ajudadora que Deus deu à mulher e agem como se elas não devessem dar opinião alguma sobre nada.

A verdade é que o homem precisa aprender a ouvir a esposa. Em certa ocasião, o próprio Deus orientou o patriarca Abraão a fazer isso: "Não fique incomodado por causa do menino e por causa da escrava. Faça tudo o que Sara disser, porque por meio de Isaque será chamada a sua descendência" (Gênesis 21.12). Se ser o cabeça envolvesse tomar decisões sozinho, sem consultar a esposa, Deus jamais daria essa orientação a Abraão!

O governo espiritual do lar

Ser o cabeça da esposa envolve conduzir não apenas as questões naturais da vida familiar, mas também — e principalmente — o governo espiritual do lar. Ao falar sobre as qualificações necessárias para quem deseja o episcopado, o apóstolo Paulo fala sobre a importância de, antes de desejar governar a casa de Deus, governar bem a própria casa: "E que governe bem a própria casa, criando os filhos sob disciplina, com todo o respeito. Pois, se alguém não sabe governar a própria casa, como cuidará da igreja de Deus?" (1Timóteo 3.4,5).

Ao dar as mesmas orientações a Tito, o apóstolo deixa claro que os filhos não devem apenas ser educados corretamente por seus pais, mas precisam ser cristãos. Essa característica revela uma família que é governada espiritualmente:

> Foi por esta causa que deixei você em Creta: para que pusesse em ordem as coisas restantes, bem como, em cada cidade, constituísse presbíteros, conforme prescrevi a você: alguém que seja irrepreensível, marido de uma só mulher, que tenha filhos crentes que não são acusados de devassidão, nem são insubordinados.
>
> Tito 1.5,6

O chefe de família deve conduzir sua casa no temor do Senhor. Isso não é missão apenas de um candidato ao ministério, mas de todo cristão! Afinal, o ministro deve servir de exemplo para os demais cristãos (1Timóteo 4.11).

O "espírito de Jezabel"

Há um tipo de atitude, ou comportamento, que tem trazido muita destruição aos matrimônios, que gosto de chamar de "espírito de Jezabel". Extraí essa terminologia da carta que Deus manda João enviar à igreja de

Tiatira: "Tenho, porém, contra você o fato de você tolerar que essa mulher, Jezabel, que se declara profetisa, não somente ensine, mas ainda seduza os meus servos a praticar a prostituição e a comer coisas sacrificadas aos ídolos" (Apocalipse 2.20).

Ao se referir à tal mulher como Jezabel, penso que o Senhor não falava de seu nome literal, mas de como a sua atitude reproduzia o comportamento de uma das mais abomináveis personagens na narrativa bíblica: a rainha Jezabel, esposa do rei Acabe. Na Bíblia, ela é um "modelo" que não deve ser seguido, nem na questão do governo do lar, nem na vida espiritual. Diz o texto: "Nunca houve ninguém igual a Acabe, que se vendeu para fazer o que era mau aos olhos do Senhor, porque Jezabel, sua esposa, o instigava" (1Reis 21.25).

Do ponto de vista espiritual, o rei Acabe foi um dos piores monarcas que Israel teve. Mas ninguém conseguiu ser pior do que ele em algo: se vender para fazer o que era mau perante o Senhor. Essa expressão mostra que Acabe rompia conscientemente certos valores, e não por ignorância ou cegueira espiritual. Ele se vendeu diante da pressão de Jezabel e suas propostas. Ela, além de dominadora, era manipuladora e instigadora, e controlou a vida de seu marido, levando-o para longe de Deus e de sua Palavra (1Reis 21.4-7).

Não se deixar manipular

A Bíblia é clara: o homem deve tomar cuidado e não se deixar manipular por mulher alguma. A esposa não deve gritar ou tentar convencer o homem a fazer algo a força. Não creio que Eva precisou de nada disso para convencer Adão a comer do fruto proibido. As mulheres têm seu charme, suas habilidades de persuasão e influência e, várias vezes, vemos exemplos dessa realidade ao longo da narrativa bíblica (Êxodo 34.15,16; Números 25.1,2; 31.16; Juízes 14.15-17; 16.15-17).

O homem tem o dever primário de assumir o governo do lar sem se deixar ser manipulado. É lógico que parte da função de ajudadora da mulher é auxiliar o marido mediante aconselhamento, a fim de que ele tome boas decisões. Mas toda tentativa de controle e manipulação deve ser firmemente combatida!

AMAR A ESPOSA

Amar é mais do que sentir algo, é decidir doar-se. Se o amor — em especial, o conjugal — fosse meramente espontâneo, como a paixão, Deus não precisaria ordenar que o marido amasse a esposa. Se Deus ordenou amar é porque podemos fazer isso por escolha, por opção. Concordo com o teólogo John Stott, que disse que o amor cristão não é vítima de nossas emoções, mas servo de nossa vontade.

Eis o mandamento divino: "Maridos, que cada um de vocês ame a sua esposa, como também Cristo amou a igreja e se entregou por ela" (Efésios 5.25). Observe que o padrão estabelecido por Deus é de que o marido não apenas ame a sua esposa, mas tome essa atitude dentro do mais alto padrão de entrega: temos de amar como Cristo amou a Igreja. E como ele fez isso?

Primeiro, é importante lembrarmos que Jesus amou a Igreja antes de receber o amor dela em troca: "Nós amamos porque ele nos amou primeiro" (1João 4.19). Nosso amor é uma retribuição ao amor dele, e não o contrário. Portanto, o marido não deve amar a esposa somente se ela estiver demonstrando grande afeto ou paixão por ele ou somente se ela estiver sendo uma "boa esposa". Ele decide amá-la e a "conquista" com seu amor! A Bíblia diz que a fé opera pelo amor (Gálatas 5.6). O amor nos faz enxergar o que a pessoa ainda não é, mas se tornará como fruto do nosso investimento de amor. Foi exatamente isso que Jesus fez por nós e esse é o padrão que devemos repetir.

Segundo, o texto bíblico diz que Jesus "se entregou por ela". O amor, portanto, é uma entrega sacrificial, uma doação de si mesmo. O bem de quem amamos deve ser promovido mesmo em detrimento de nós mesmos. É dar atenção mesmo quando se está cansado. É abrir mão de algo importante em favor do cônjuge. É agradar ao outro, não a si mesmo.

Amar também é respeitar, considerar e honrar: "Maridos, amai a vossas mulheres, e não as trateis asperamente" (Colossenses 3.19); "Maridos, vocês, igualmente, vivam a vida comum do lar com discernimento, dando honra à esposa, por ser a parte mais frágil e por ser coerdeira da mesma graça da vida. Agindo assim, as orações de vocês não serão interrompidas" (1Pedro 3.7). Pode ser que o marido venha a errar nessa questão e, se for o caso, é preciso se arrepender diante de Deus e pedir perdão à esposa, passando a orar e se policiar para não viver sempre tropeçando nessa mesma área.

Amar a esposa é importar-se com ela e com o que é importante para ela. Logo, indiferença é falta de amor. Maridos, precisamos crescer nesse quesito e meditar na definição bíblica do amor que devemos manifestar uns pelos outros:

> O amor é paciente, o amor é bondoso. Não inveja, não se vangloria, não se orgulha. Não maltrata, não procura seus interesses, não se ira facilmente, não guarda rancor. O amor não se alegra com a injustiça, mas se alegra com a verdade. Tudo sofre, tudo crê, tudo espera, tudo suporta.
>
> 1Coríntios 13.4-7, NVI

SER AMANTE DA ESPOSA

Quero fazer uma distinção entre o dever do homem de amar sua mulher — o que envolve carinho, apreço, dedicação, cuidado e valorização — e o de ser amante dela — o que se refere à expressão física do amor, da intimidade e da vida sexual do casal. Aliás, o versículo bíblico que usamos como base desse ensino sobre os deveres tem uma aplicação dirigida à vida sexual do casal:

> Que o marido conceda à esposa o que lhe é devido, e também, de igual modo, a esposa, ao seu marido. A esposa não tem poder sobre o seu próprio corpo, e sim o marido; e também, de igual modo, o marido não tem poder sobre o seu próprio corpo, e sim a esposa.
>
> 1Coríntios 7.3,4

Como preparei dois capítulos adiante sobre o assunto, não entrarei em detalhes, aqui, sobre este importante aspecto dos deveres do homem — e da mulher.

SER PROVEDOR

Outro dever importante dos maridos está relacionado à provisão. O homem deve ser o provedor das necessidades da mulher e de toda a sua casa:

> Assim também o marido deve amar a sua esposa como ama o próprio corpo. Quem ama a esposa ama a si mesmo. Porque ninguém jamais odiou o seu

próprio corpo. Ao contrário, o alimenta e cuida dele, como também Cristo faz com a igreja; porque somos membros do seu corpo.

Efésios 5.28-30

Ao falar de alimentar e cuidar da esposa, o apóstolo Paulo não quer dizer que o homem tenha de cozinhar ou dar comida na boca dela, mas faz uma referência ao seu papel de prover o lar como expressão de seu cuidado.

A mulher, quando ainda solteira, tinha o pai como provedor. No entanto, quando um casal firma a aliança nupcial, os dois deixam pai e mãe para se unir e se tornarem uma só carne (Gênesis 2.24). Salvo raríssimas exceções, em situações realmente imprevistas e temporárias, nenhum casal deveria depender financeiramente dos pais. O cordão umbilical precisa ser cortado nas questões material, financeira e do governo do lar.

Portanto, mesmo antes de se casar, o homem já deve ser responsável e ter condições de suprir o lar: "Não construa a sua casa, nem forme o seu lar até que as suas plantações estejam prontas e você esteja certo de que pode ganhar a vida" (Provérbios 24.27, NTLH).

A omissão deliberada do cuidado natural de provisão com a família é um pecado muito grave: "Se alguém não tem cuidado dos seus e, especialmente, dos da própria casa, esse negou a fé e é pior do que o descrente" (1Timóteo 5.8). Quando Paulo fala de cuidado, o contexto é especificamente o cuidado material.

Qualquer pessoa tem obrigação de cuidar dos familiares, mas a posição do homem como provedor o põe numa condição de maior responsabilidade nesse quesito. Isso não quer dizer que ele tenha a obrigação de atender todos os caprichos da esposa ou dos filhos, nem que tenha de ser rico, mas deve se esforçar para suprir o essencial.

Há muitas situações em que a mulher também trabalha fora e coopera com o sustento. Não creio que isso seja errado, desde que o cuidado e a criação dos filhos não sejam comprometidos. Também não vejo problema no fato de a esposa que trabalha fora ganhar mais que o marido, pois, se ele tem a responsabilidade de suprir a casa, nada o impede de ser ajudado. Errado é trocar papéis e o homem ficar em casa enquanto a mulher traz o sustento. Embora eu acredite que é correto a mulher ajudar o marido a manter financeiramente o lar, também é correto que o marido a ajude com os filhos e as tarefas da casa, desde que um acordo de cooperação mútua não leve o casal a trocar as responsabilidades e os deveres.

SER PROTETOR

Logo que Deus criou o homem e o estabeleceu no Éden, deu-lhe as funções de lavrar e guardar o jardim (Gênesis 2.15). Portanto, concluímos que, mesmo antes de criar a mulher e instituir a família, o Criador definiu o papel do homem como provedor do lar (o que lavra o jardim para dele extrair o sustento) e protetor da família (o que guarda de qualquer ameaça o jardim). Que tipo de proteção o Senhor tinha em mente quando deu essa ordem a Adão? Afinal, naquele momento não havia mais ninguém no jardim, nem mesmo Eva. É evidente, portanto, que Adão deveria proteger a esposa do ataque maligno de Satanás.

Quando se fala de proteção, muitos machões pensam só no aspecto físico dessa responsabilidade e já se imaginam dando uma surra em quem mexer com sua mulher. Mas o dever do marido de proteger a esposa — e os filhos — começa pela responsabilidade de exercer devidamente o papel de governo espiritual, orando pela sua casa. Também envolve o papel de ensinar a família a andar segundo a Palavra de Deus e, assim, proteger seu lar da influência do mundo e do pecado (Deuteronômio 6.7; 1Coríntios 14.35).

Além da proteção espiritual, penso que o homem também deve proteger a esposa no âmbito emocional. Agrada-me a ideia de ser o guarda-costas de minha esposa e estar disposto até mesmo a tomar um tiro por ela. Se temos de amar a esposa como Cristo amou a Igreja (Efésios 5.25) e cuidar da esposa como Cristo cuida da Igreja (Efésios 5.29), logicamente devemos concluir que, se Jesus protege a sua Igreja (Mateus 16.18), devemos proteger nossa esposa.

PARA REFLEXÃO

1. Homem, liste os deveres dos maridos. Depois, marque, numa escala de 1 a 10, qual seria, em sua opinião, sua pontuação em cada um deles. Defina, em termos práticos, o que você deveria melhorar em cada tópico.

2. Homem, peça à sua esposa para fazer a mesma pontuação. Em seguida, avaliem o que cada um de vocês analisou e onde se deram as diferenças de percepção.

3. Homem, o que você deve fazer para manter o equilíbrio entre liderar o lar e incluir a participação da esposa como conselheira?

MEU MAIOR DESAFIO

Escreva, no espaço abaixo, a sua principal dificuldade para pôr em prática o que é proposto neste capítulo. Em seguida, anote o que você pode fazer para superar esse desafio.

OREMOS

Pai amado, ajuda-me a viver alinhado ao teu modelo de liderança no lar. Abre os meus olhos espirituais para que eu entenda as verdades da tua Palavra e as pratique de todo o meu coração.

Em nome de Jesus eu oro. Amém.

10

OS DEVERES DA ESPOSA

Assim como é com o homem, a mulher também tem deveres a cumprir no casamento. Suas responsabilidades matrimoniais incluem:

1. Ser ajudadora.
2. Ser submissa.
3. Ser administradora do lar.
4. Ser amante do marido.

Vamos nos aprofundar em cada um desses itens a seguir.

SER AJUDADORA

A esposa tem a responsabilidade de ajudar seu marido, uma vez que essa é a primeira menção que o próprio Criador faz acerca de seu papel no matrimônio: "Não é bom que o homem esteja só; farei para ele uma *auxiliadora* que seja semelhante a ele" (Gênesis 2.18). A palavra hebraica traduzida como "auxiliadora" é *ezer*, que significa "ajuda", "socorro", "aquele que ajuda". Em razão disso, utilizarei a palavra "ajudadora" em vez do sinônimo "auxiliadora". Isso não apenas reforça o fato de que a liderança do lar pertence ao homem, na condição de cabeça da esposa, como ressalta a importância da mulher no contexto matrimonial.

Sempre que menciono o fato de o homem ser o cabeça do lar, lamentavelmente percebo que, aos olhos de certos homens e mulheres, isso soa um pouco depreciativo, como se a mulher fosse uma mera espécie de "serviçal". Porém, ao definir a mulher como ajudadora, Deus não a estava rebaixando. Muito pelo contrário, ele a estava justamente exaltando.

Gosto de um termo que meu pai, ao pregar sobre família, costumava usar em relação a esse assunto: ele dizia que a mulher ocupa a função de "vice-presidente" do lar. Ou, ainda, usando a analogia de um avião, ela poderia ser qualificada como "copiloto".

Ao reconhecer que o homem precisava de uma ajudadora, Deus deixou claro não apenas a incapacidade de o homem fazer tudo sozinho, mas, também, que não havia ninguém mais qualificado para exercer o papel de auxiliar do que a mulher. Em outras palavras, Deus estava declarando que a mulher tem algo a oferecer para a vida do lar que o homem não tem.

Estar debaixo da autoridade de um cabeça não desmerece ninguém. O marido tem como seu cabeça Cristo, e o próprio Cristo tem como cabeça o Pai (1Coríntios 11.3). E, ainda assim, nem Jesus nem o Espírito Santo são apresentados como inferiores ao Pai. Pelo contrário, a Bíblia os apresenta como um só Deus (Efésios 4.4), assim como também diz que o marido e sua esposa são um.

Embora muitos maridos não compreendam esta realidade, Deus criou a mulher para ajudá-lo em tudo, até no próprio governo do lar — obviamente, sem usurpar sua autoridade, mas contribuindo com bons conselhos. Precisamos desenvolver na família a visão de equipe. Além de a própria Trindade ser modelo nesse quesito, vemos, no Novo Testamento, que as igrejas dos primeiros séculos eram governadas por presbíteros (1Timóteo 5.17), isto é, havia uma regência eclesiástica coletiva. Os lugares onde isso parece ter acontecido sempre apresentavam distorções da verdadeira liderança (3João 9). Contudo, vemos em Apocalipse 2 e 3 que, ao tratar com as sete igrejas da Ásia, Jesus se dirige ao "anjo", ou seja, ao "mensageiro" da igreja. Esse fato nos faz perceber que dentro de uma equipe ministerial há sempre uma "voz maior", alguém encarregado de uma responsabilidade maior e que será cobrado por Deus em um nível diferenciado. Em nossas igrejas, por exemplo, reconhecemos essa pessoa como presbítero-sênior. Ele não governa sozinho, porque sabe que isso é contrário à sabedoria divina (Provérbios 11.14; 18.1), mas nenhum dos conselheiros pode usurpar sua autoridade e responsabilidade decisória.

No casamento, temos algo parecido. A visão bíblica do homem como líder do lar não é algo do tipo "o homem sabe tudo e a mulher deve ficar de boca fechada". Pelo contrário, a Palavra de Deus mostra claramente que o homem não está sempre certo e, por isso, precisa de conselhos. Obviamente, não me refiro a uma mulher que "tome as rédeas" do lar, mas que acrescente boas perspectivas à decisão final que cabe ao marido. Se Nabal tivesse ouvido Abigail, não teria experimentado o fim trágico que teve (1Samuel 25.37,38).

Outro exemplo é o de Pilatos. Vemos como Deus foi bom com ele, ao conceder à esposa do romano um sonho que o alertava sobre Jesus: "E, estando Pilatos sentado no tribunal, a mulher dele mandou dizer-lhe: — Não se envolva com esse justo, porque hoje, em sonho, sofri muito por causa dele" (Mateus 27.19). O governador estava para cometer o que, talvez, possa ser chamada de a maior injustiça da história da humanidade e, ainda assim, Deus usou a esposa desse homem para adverti-lo. O ponto principal é que a mulher aconselhar e advertir o esposo quanto a uma decisão a ser tomada não é desrespeito ou erro, pois, se fosse, Deus não teria se dirigido a ela!

Há outros exemplos bíblicos de mulheres que participaram, com opinião e conselho, da decisão a ser tomada pelo marido. É o caso de Abraão e Sara. Na hora de tomar a decisão de mandar Agar e Ismael para longe de Isaque, o patriarca fica com o coração pesado e a esposa o encoraja a tomar a decisão. É quando Deus fala com ele acerca do assunto: "Disse Deus a Abraão: Não te seja isso duro por causa do moço e por causa da tua escrava; *em tudo o que Sara te diz, ouve a sua voz*, pois, em Isaque, será chamada a tua descendência" (Gênesis 21.12, TB). Ao ordenar que o patriarca ouvisse Sara em tudo o que ela dissesse, o Altíssimo, em outras palavras, estava dizendo a Abraão que ela estava certa e ele deveria ouvir seu conselho. Se fosse inaceitável que a mulher ajudasse o marido com conselhos sábios, o Criador certamente não falaria assim com Abraão.

Isso não significa que a esposa tenha sempre a razão, da mesma forma que o marido também não está sempre certo. Ambos são humanos e falhos.

Fato é que há uma clara sinalização bíblica de que, no mínimo, a mulher pode e deve opinar para ajudar o marido em suas escolhas.

A Bíblia diz: "A mulher sábia edifica a sua casa, mas a insensata a derruba com as próprias mãos" (Provérbios 14.1). A mulher deve entender que ela tem grande capacidade de edificar ou derrubar sua casa. Infelizmente, algumas esposas não têm sabedoria alguma e tampouco reconhecem que deveriam buscar ser mais sábias pelos conselhos de pessoas mais experientes (Tito 2.3-5) e mediante oração (Tiago 1.5).

Muitos maridos não recebem nenhum encorajamento e motivação por parte da esposa. São insensatas que, aos poucos, estão destruindo o lar. Por outro lado, a mulher sábia sempre ajudará na edificação da família.

SER SUBMISSA

A Bíblia é explícita e objetiva ao estabelecer que a esposa deve submeter-se ao marido. Isso envolve mais que respeito, reflete o entendimento de governo do lar e da cadeia de comando estabelecida pelo Senhor:

> Esposas, *que cada uma de vocês se sujeite a seu próprio marido*, como ao Senhor; porque *o marido é o cabeça da esposa*, como também Cristo é o cabeça da igreja, sendo ele próprio o salvador do corpo. Como, porém, a igreja está sujeita a Cristo, assim também a esposa se sujeite em tudo ao seu próprio marido.
>
> Efésios 5.22-24

A palavra "cabeça" aponta para liderança. Nós, que tememos a Deus, não podemos nos moldar aos valores do mundo atual, que proclamam não haver distinção entre o homem e a mulher no casamento. O que a Bíblia nos ensina é que há uma forma correta para o relacionamento conjugal: "Esposas, que cada uma de vocês se sujeite a seu próprio marido, *como convém no Senhor*" (Colossenses 3.18).

É lógico que não há distinção alguma entre o valor de homem e mulher (Gálatas 3.28). Entretanto, as autoridades foram instituídas por Deus (Romanos 13.1) e devemos respeitá-las. Isso não significa que, diante do Senhor, as autoridades sejam pessoas de maior valor. Significa apenas que, em matéria de governo, elas estão numa posição diferenciada das demais — que, por sua vez, são tão valiosas aos olhos de Deus como as que estão investidas de autoridade.

Em matéria de governo na família, o homem é e será sempre o cabeça, não a mulher. Essa ordem na cadeia de comando jamais pode ser quebrada, pois foi estabelecida pelo Criador da família. O apóstolo Paulo ensinava e determinava que a mulher não exercesse autoridade sobre o marido: "A mulher deve aprender em silêncio, com toda a sujeição. Não permito que a mulher ensine, *nem que tenha autoridade sobre o homem*. Esteja, porém, em silêncio" (1Timóteo 2.11,12, NVI). Essa passagem nos mostra que as mulheres podem ensinar homens que não seu marido e exercer autoridade sobre eles. Se a mulher nunca pudesse ensinar ou exercer autoridade sobre nenhum homem, seria contraditório o que a Bíblia revela acerca de Débora, profetiza e juíza em Israel.

Entendo que a afirmação de Paulo a Timóteo significa, portanto, que, em hipótese alguma, nem mesmo no exercício do ministério, a mulher pode usurpar a autoridade do marido, que é o seu cabeça. Essa é a razão pela qual, ainda que eu creia no ministério das mulheres e as reconheça no pastorado, *nunca*, em nosso ministério, estabelecemos uma mulher com autoridade pastoral sem que o marido também seja estabelecido. Não é bíblico, nem mesmo na igreja, estabelecer uma mulher em posição de autoridade sobre o esposo.

Isso vale até mesmo quando o marido não é cristão: "Mulheres, sede vós, igualmente, submissas a vosso próprio marido, para que, *se ele ainda não obedece à palavra*, seja ganho, sem palavra alguma, por meio do procedimento de sua esposa" (1Pedro 3.1, ARA).

A palavra "submissão" vem do grego *hupotasso*, e significa: "organizar sob", "subordinar", "sujeitar", "colocar em sujeição", "sujeitar-se", "obedecer", "submeter ao controle de alguém", "render-se à admoestação ou ao conselho de alguém", "obedecer", "estar sujeito". Na época apostólica, esse termo tinha aplicação militar, com o sentido de "organizar [divisões de tropa] numa forma militar sob o comando de um líder". Em uso não militar, era uma atitude voluntária de ceder, cooperar, assumir responsabilidade, e levar uma carga.

O conceito da palavra "submissão" pode parecer exagerado e até assustador, mas devemos lembrar que a mulher deve se sujeitar ao marido como a Igreja se sujeita a Cristo (Efésios 5.22-24). Em contrapartida, o marido deve governar e exercer sua autoridade como Cristo! Quando analisamos a liderança de Jesus, não vemos uma atitude de domínio, mas uma liderança servidora. Assim como Pedro advertiu os presbíteros a não serem dominadores do povo que governam (1Pedro 5.3), o marido também não deve ser controlador.

Entretanto, ainda que o marido não necessite de um cetro de domínio na própria casa, sua autoridade deve ser respeitada. O apóstolo Paulo advertiu que quem resiste à autoridade traz sobre si condenação (Romanos 13.2). Assim como os filhos devem honra aos pais, e isso atrai bênçãos sobre sua vida (Efésios 6.1-3), igualmente a esposa deve respeito ao marido (Efésios 5.33) e isso também atrairá bênçãos sobre sua vida.

SER ADMINISTRADORA DO LAR

Todo casamento pressupõe divisão de tarefas. O fato de o homem ser o responsável pelas decisões não significa que ele tenha de monopolizar as tarefas. Algumas delas são claramente designadas às mulheres. Uma delas é a administração do lar.

A Bíblia se refere às mulheres como "donas de casa". Encontramos esse tipo de afirmação tanto no Antigo como no Novo Testamentos (1Reis 17.17; Tito 2.5). Não significa que a casa seja somente das esposas, mas que elas têm o dever e a responsabilidade de cuidar e conduzir o lar. Há textos nas Escrituras que falam do homem cuidando dos "trabalhos de fora" (Provérbios 24.27), que, na época, envolviam lavoura, pastoreio, caça e negócios a serem feitos (Provérbios 7.19,20). Enquanto o marido provedor trabalhava fora, a mulher cuidava da casa e dos filhos.

O trabalho da mulher sempre foi em parceria com o homem. Ele caçava e pescava; ela cozinhava. Ele apascentava o rebanho; ela cuidava da tosquia e da ordenha. Ele colhia o fruto da terra; ela preparava o alimento. Ele trazia tecido ou couro; ela confeccionava roupas. É inegável que os detalhes tanto da economia como do ganho do pão diário mudaram muito, mas a ideia divina de parceria entre marido e mulher permanece a mesma. Provérbios apresenta uma mulher que conduz com maestria a administração do lar:

> Mulher virtuosa, quem a achará? O seu valor muito excede o de finas joias. O coração do seu marido confia nela, e não haverá falta de ganho. Ela lhe faz bem e não mal, todos os dias da sua vida. Busca lã e linho e de bom grado trabalha com as mãos. É como o navio mercante: de longe traz o seu pão. É ainda noite, e ela já se levanta, e dá mantimento à sua casa e tarefa às suas servas. Ela examina uma propriedade e adquire-a; planta uma vinha com a renda do seu trabalho. Cinge os lombos com força e fortalece os seus braços. Ela percebe que o seu ganho é bom; a sua lâmpada não se apaga de noite. Estende as mãos ao fuso, mãos que pegam na roca. Abre a mão aos aflitos; e ainda a estende aos necessitados. Quanto à sua casa, não teme a neve, pois todos andam vestidos de lã escarlate. Faz para si cobertas, veste-se de linho fino e de púrpura. Seu marido é estimado entre os juízes, quando se assenta com os anciãos da terra. Ela faz roupas de linho fino e as vende; ela fornece cintas aos comerciantes. A força e a dignidade são os seus vestidos, e, quanto ao dia de amanhã, não tem preocupações. Fala com sabedoria, e a instrução da bondade está na sua língua. *Cuida do bom andamento da sua casa* e não come o pão da preguiça.
>
> Provérbios 31.10-27

O trabalho do lar não é leve nem insignificante. Não é tarefa para alguém despreparado. Se a mulher ajudar o marido na administração financeira, certamente fará que os ganhos familiares se multipliquem! É importante destacar que ser boa dona de casa é algo que se aprende, como Paulo deixou claro:

> Do mesmo modo, quanto às mulheres idosas, que tenham conduta reverente, não sejam caluniadoras, nem escravizadas a muito vinho. Que sejam *mestras do bem, a fim de instruírem as jovens recém-casadas a amar o marido e os filhos, a serem sensatas, puras, boas donas de casa, bondosas, sujeitas ao marido*, para que a palavra de Deus não seja difamada.
>
> Tito 2.3-5

Alguns grupos cristãos são contrários à ideia de as mulheres trabalharem fora. Não advogo esse pensamento. A parceria de trabalho do casal mostra as mulheres desempenhando tarefas de alta responsabilidade e, com a mudança de configuração atual do modelo de trabalho e sustento, é justo que o envolvimento da mulher no mercado também mude.

A questão a ser abordada não é se a esposa trabalha fora ou não, mas se trabalhar fora irá interferir em seus deveres como esposa e mãe. Acredito que se é correto a mulher ajudar o marido a levar o sustento para o lar, também é correto que o marido a auxilie com os filhos e as tarefas da casa.

SER AMANTE DO MARIDO

A Lei de Moisés permitia tanto o divórcio como a poligamia, devido à dureza do coração do homem. Jesus deixou claro que não foi assim no começo. Porém, quando voltamos à origem do matrimônio e analisamos seu propósito, percebemos que Deus presenteou Adão com uma *única* esposa.

O plano divino é que cada marido tenha sua esposa e que cada esposa tenha seu marido. Nesse contexto, o apóstolo Paulo ensina uma das questões mais importantes para proteger o matrimônio do adultério: uma vida sexual saudável, com fidelidade e intensidade, valorizando tanto a qualidade como a quantidade. Lamentavelmente, muitas mulheres cristãs estão "empurrando" seu marido para o adultério, ao se recusarem a atender as necessidades dele.

Paulo declarou algo importante sobre a intensidade e a frequência do ato sexual: "*Não se privem um ao outro*, a não ser talvez por mútuo consentimento, por algum tempo, para se dedicarem à oração. Depois, retomem a vida conjugal, *para que Satanás não tente vocês* por não terem domínio próprio" (1Coríntios 7.5).

Deus mandou a esposa suprir essa necessidade de seu cônjuge, não boicotá-la! Negligenciar a intimidade é dar brecha para que o Inimigo entre num casamento. Ainda assim, algumas mulheres acham que devem decidir se o marido merece ou não o momento de intimidade. Sexo é dever, é dívida! Os cônjuges devem entender a importância do assunto e não dar lugar à negligência.

Quando uma esposa acha que o sexo deve ser uma espécie de recompensa ao comportamento do marido, está, na verdade, se prostituindo. Sei que isso pode soar um pouco chocante, mas a realidade é que essas esposas estão "se vendendo" em troca de um comportamento, uma atitude, um favor ou um presente. Pode não ser por dinheiro, mas, ao agir assim, elas estão se vendendo!

O sexo não é um negócio, ainda que a "moeda" de troca seja emocional. Não pode ser fruto de uma mentalidade sanguessuga; é uma entrega, é uma expressão de amor (sacrificial, se for o caso), é uma doação. Sexo não é uma venda. A partir do momento que tem de haver algum tipo de pagamento, ainda que emocional, tornou-se uma transação comercial.

Sei que há exceções, mas, via de regra, as mulheres se omitem mais nessa área do que os homens. A explicação pode ser orgânica, mas, a despeito do "ritmo" de cada um, a frequência da vida sexual deveria ser determinada não pelo próprio desejo, mas pela necessidade do cônjuge.

Lembrando também de outra verdade bíblica: "Quem está farto pisa o favo de mel, mas para o faminto até o amargo é doce" (Provérbios 27.7). Se você mantém seu cônjuge saciado, as mais tentadoras propostas de infidelidade podem surgir e ele certamente vai desprezá-las. Entretanto, para aquele que não tem sido suprido, qualquer oportunidade de sexo que surgir — qualquer *mesmo* — pode ser muito atraente e sedutora! A mulher deve proteger seu marido de outras mulheres e da tentação maligna não só orando por ele, mas o mantendo saciado nesta área.

PARA REFLEXÃO

1. Mulher, liste os deveres das esposas. Depois, marque, numa escala de 1 a 10, qual seria, em sua opinião, sua pontuação em cada um deles. Defina o que, em termos práticos, você deveria melhorar em cada tópico.

2. Mulher, peça ao seu marido para fazer a mesma pontuação. Em seguida, avaliem o que cada um de vocês analisou e as diferenças de percepção.

3. Como manter o equilíbrio entre não assumir "as rédeas" do lar, mas não se omitir quanto ao papel de conselheira?

MEU MAIOR DESAFIO

Escreva, no espaço abaixo, a sua principal dificuldade para pôr em prática o que é proposto neste capítulo. Em seguida, anote o que você pode fazer para superar esse desafio.

OREMOS

Pai querido, ajuda-me a viver alinhado ao teu modelo de liderança no lar. Que eu não me omita em ser ajudadora e nem me exceda tentando tomar "as rédeas" do lar. Abre os meus olhos espirituais para que eu entenda as verdades da tua Palavra e as pratique de coração.

Em nome de Jesus eu oro. Amém.

11
VIDA FINANCEIRA

Há algumas verdades importantes acerca da vida financeira que todo casal deveria saber — de preferência, *antes* do casamento. Se não foi possível antes, é importante aprender e aplicar essas verdades na vida familiar o mais rápido possível.

Existem três fundamentos para que a vida financeira do casal seja não apenas saudável, mas alinhada com os princípios da Palavra de Deus. São eles:

1. O dever do marido como provedor do lar.
2. O dever da esposa como administradora do lar.
3. A importância de um planejamento financeiro.

Como já tratei anteriormente dos dois primeiros fundamentos, neste capítulo me dedicarei à questão do planejamento financeiro.

O trabalho da mulher sempre foi uma parceria com o homem. É um erro somente um dos cônjuges conduzir as finanças sozinho. Ainda que um dos dois possa ser mais organizado ou ter mais jeito com papéis, números e planilhas, o planejamento pertence ao casal, e deve ser feito com a participação do marido e da mulher. Em uma família onde os filhos já são crescidos, eles podem fazer parte desse planejamento.

Além disso, não podemos nos esquecer de outro princípio importante, que é o de o casal passar a ter posses comuns ao firmar uma aliança matrimonial. Uma das consequências do princípio de uma só carne é a mistura de vidas, o que inclui bens e as posses. A Bíblia condena a união de um cristão com alguém incrédulo, o que mostra que até a fé deve ser algo que os cônjuges tenham em comum (2Coríntios 6.14). Quanto mais na questão do patrimônio!

Quando o casal se une pelos laços do matrimônio, não há mais "meu" salário e "seu" salário, "minhas" contas e "suas" contas, "meus" bens e "seus" bens. Tudo o que é de um passa, automaticamente, a ser do outro. Essa nova realidade também exige do casal tanto diálogo quanto planejamento.

PLANEJAMENTO FINANCEIRO

O primeiro fundamento tem a ver com a entrada do dinheiro, que é responsabilidade do homem. O segundo fundamento tem a ver com a saída do dinheiro, que é responsabilidade da mulher administrar. Porém, o terceiro fundamento tem a ver com o casal, em uma parceria que exige muito diálogo, organização e planejamento financeiro.

Muitos desentendimentos, discussões e, até mesmo, divórcios têm origem em problemas financeiros. Aliás, problemas financeiros estão entre os motivos mais mencionados como causas de divórcios. Portanto, essa é uma área com que o casal deve saber como lidar. A questão monetária está dentro da parceria exercida pelo casal não só na distribuição de quem ganha o dinheiro e quem administra os gastos, mas, principalmente, no planejamento *conjunto*, uma vez que a negligência nesse aspecto resulta em desastre.

Há casais que não conseguem controlar quanto gastam; eles simplesmente vão gastando, sem anotar, sem prestar contas, nada! Com isso, entram no cheque especial, estouram o limite do cartão de crédito, tomam emprestado e vivem endividados e pagando juros altíssimos. Conheço muitas histórias de famílias que perderam carros e até moradias porque não conseguiram pagar as prestações assumidas. A origem desse problema, em geral, tem mais a ver com a falta de planejamento financeiro do que com algum imprevisto do meio do caminho. Portanto, ter um orçamento familiar é essencial e ajuda muito a evitar a má gestão financeira, bem como um rigoroso controle dos gastos, com a devida prestação de contas.

O *orçamento* é a sua programação financeira e, consequentemente, uma ferramenta de auxílio na administração dos recursos materiais. Seja no planejamento mensal das contas domésticas, seja no planejamento da aquisição de um bem específico, é sempre importante fazer cálculos e previsões de entradas e saídas.

Ao falar sobre pessoas que queriam segui-lo sem saber quanto isso lhes custaria em termos de renúncia, Jesus proferiu uma parábola acerca da necessidade de planejamento. A fim de ilustrar uma verdade espiritual, ele mencionou o planejamento de um empreendimento como sendo a coisa mais natural e lógica a ser feita:

> Pois qual de vocês, pretendendo construir uma torre, não se assenta primeiro para calcular a despesa e verificar se tem os meios para a concluir? Para não acontecer que, tendo lançado os alicerces e não podendo terminar a construção, todos os que a virem zombem dele, dizendo: "Este homem começou a construir e não pôde acabar".
>
> Lucas 14.28-30

Fazer o orçamento é simples: o casal calcula as entradas, isto é, os salários da família e qualquer outro rendimento. Em seguida, começa a deduzir desse montante as despesas fixas: os dízimos, as ofertas, o aluguel ou a prestação da casa, as contas da casa (como água, luz, telefone e condomínio), despesas de transporte, convênio médico, supermercado, roupas, estudos e por aí vai. O correto é prever uma "margem de sobra", um fundo de reserva, para eventuais despesas não programadas, como farmácia, conserto do carro ou compra de algum eletrodoméstico.

Se as despesas do casal (ou família) forem maiores que o seu ganho, alguns cortes terão de ser feitos. Talvez seja necessário baixar um pouco o padrão de vida, seja em relação à casa em que se mora, seja quanto à marca do carro, seja na quantidade de gastos supérfluos em áreas menos necessárias (como comer em restaurantes). Do contrário, sempre haverá um saldo negativo e será preciso tomar dinheiro emprestado para poder cobrir o rombo. E, com o acúmulo dos empréstimos, além dos juros, a dívida acaba se tornando uma bola de neve. Como disse Benjamin Franklin, é preciso tomar cuidado com as pequenas despesas, pois uma fenda diminuta pode fazer afundar um grande navio.

Como pastor, tenho percebido, em muitas e muitas horas de aconselhamento a pessoas que estão com a vida financeira destruída, que, na maioria das vezes, não houve intenção de lesar ninguém por meio de inadimplência ou calote. Tudo acabou acontecendo por pura falta de planejamento.

Esse tipo de problema acontece porque falta o hábito de se trabalhar com orçamento. Isso, por sua vez, gera descontrole, que leva a dívidas maiores que os ganhos. Com os juros aumentando o rombo, vem a bancarrota.

Além do orçamento mensal que envolve as despesas comuns da casa, também se deve aprender a planejar as aquisições da família. Seria de grande ajuda se o casal também planejasse os gastos extras. Por exemplo, um casal pode estar sonhando com várias coisas diferentes: uma viagem, uma televisão nova ou a troca de carro, sem falar na compra de roupas ou de qualquer aparelho eletrodoméstico que, normalmente, não são parte dos gastos fixos previstos no orçamento do mês.

ESTABELECENDO PRIORIDADES

O propósito do planejamento financeiro deve ser mais do que apenas calcular as entradas e saídas a fim de não se gastar mais do que se ganha. Ele deve envolver planos específicos de economia, que vão desde o corte de gastos desnecessários até a capacidade de poupar e ter um fundo de reserva. Mas, por trás do planejamento financeiro, há o estabelecimento das prioridades.

Para nós, cristãos, a prioridade máxima na vida financeira tem a ver com o princípio de honrar o Senhor com os bens: "*Honre o Senhor com os seus bens e com as primícias de toda a sua renda*; e os seus celeiros ficarão completamente cheios, e os seus lagares transbordarão de vinho" (Provérbios 3.9,10).

Jesus determinou que devemos pôr o reino de Deus em primeiro lugar (Mateus 6.33), e isso inclui nossas finanças. Escrevi um livro sobre esse assunto e recomendo a sua leitura aos que querem se aprofundar no entendimento dessas verdades: *Uma questão de honra: O valor do dinheiro na adoração.*[1]

[1] Livro disponível em: <www.orvalho.com>.

O propósito, agora, é apenas apontar a prioridade inicial. O orçamento familiar de todo cristão deveria começar pela contribuição ao Senhor, que tem três formas distintas: dízimos, ofertas e esmolas. Com isso em mente, lembro o conselho de John Wesley: "Ganhe o máximo que puder, economize o máximo que puder, porém, dê o máximo que puder".

Depois de estabelecer a prioridade máxima, que é nossa adoração a Deus e a contribuição com o avanço de seu reino, devemos listar os gastos dentro de um padrão de prioridades. O pastor Arão Xavier, do Ministério Prospere, dá uma dica muito simples e prática: faça uma lista de tudo o que, como família, vocês desejam adquirir. Comecem classificando em ordem de importância, indicando o que é prioritário antes daquilo que é apenas necessário, e o necessário antes daquilo que é mero desejo. Fixe os alvos em uma lista visível, que possa ser consultada, sobre a qual orem e onde risquem os alvos alcançados. Isso será de grande ajuda, pois o casal não deixará de ter metas, mas, também, não violentará o planejamento orçamentário que já foi feito.

A área financeira da vida conjugal, como qualquer outra, requer atenção, oração e diálogo dos cônjuges. As dívidas não são geradas apenas pela diminuição da renda, mas, na maioria das vezes, pela não redução ou adequação dos gastos. Em momentos de aperto financeiro, todo casal deveria reduzir ao máximo seu padrão de vida. Um marido que esconde a real condição financeira da família para não baixar o padrão de vida na hora do aperto certamente pagará um preço muito maior quando a "bolha financeira" dos juros da dívida explodir.

Para manter a vida financeira saudável, os cônjuges devem cumprir seus deveres: o homem precisa prover sustento e a mulher tem de administrar o lar; porém, ambos devem se unir no planejamento financeiro familiar. Vale ressaltar que o maior desafio não é o de meramente planejar. Manter-se no programa estabelecido, sem fazer concessões, tem-se mostrado um desafio ainda maior para os casais. Embora o fato de seguir à risca o planejamento pareça ser difícil, não é impossível.

As recompensas futuras das conquistas materiais fazem o planejamento valer a pena. São recompensas como a falta de desperdício em juros de empréstimos, o bom testemunho de não se ter gerado dívidas que fogem ao controle e a paz proveniente da ausência dos conflitos que normalmente são gerados nas turbulências financeiras.

Recomendo com ênfase: não negligenciem o orçamento e o planejamento conjunto! É melhor enfrentar aqueles pequenos desgastes oriundos de discordâncias antes de se gastar do que ter de encarar as consequências de ter evitado tal diálogo.

PARA REFLEXÃO

1. Você tem o hábito de fazer orçamento familiar? O que levou você a fazer o planejamento financeiro (ou deixar de fazê-lo)?

2. O planejamento financeiro, em sua casa, tem a participação de ambos os cônjuges?

3. Em seu orçamento familiar, há uma lista de classificação de prioridades, necessidades e desejos? Se sim, vocês oram e conversam sobre ela?

MEU MAIOR DESAFIO

Escreva, no espaço abaixo, a sua principal dificuldade para pôr em prática o que é proposto neste capítulo. Em seguida, anote o que você pode fazer para superar esse desafio.

OREMOS

Amado Deus, peço-te não apenas a provisão material e financeira para o meu lar, mas, também, a sabedoria necessária para administrar corretamente esses ganhos. Ajuda-me a enxergar e a ajustar as minhas falhas nessa área.

Eu oro em nome de Jesus. Amém.

12
VIDA ESPIRITUAL

Durante muito tempo, ao ensinar sobre a vida espiritual no lar, a igreja tem usado equivocadamente a expressão "sacerdócio no lar", especialmente ao focar a responsabilidade de liderança do homem. Temos de corrigir isso. Muitas vezes propagamos conceitos que não têm base bíblica porque os escutamos sem questionar e acabamos passando-os adiante. A Bíblia ensina que Jesus nos comprou com seu sangue e fez de nós reis e sacerdotes (Apocalipse 5.9,10), o que nos leva a compreender a realidade do sacerdócio universal dos cristãos.

Esse conceito significa que, diferente da ideia difundida no seio da Igreja Católica Apostólica Romana por muitos séculos antes da Reforma Protestante, iniciada em 1517, não há duas categorias distintas de pessoas na igreja. A divisão em clero e laicato não é bíblica, pois as Escrituras deixam claro que todos são sacerdotes.

A Palavra de Deus distingue posições de governo na igreja local, mas não limita o sacerdócio a uns poucos cristãos. Todo crente em Jesus tem seu devido lugar no Corpo de Cristo e todos têm a responsabilidade de ministrar ao Senhor e aos homens em nome de Jesus. Essa visão foi resgatada na Reforma Protestante e perdura em nossos dias. Contudo, no esforço de resgatar essa verdade, acabamos exagerando na dose.

Falamos muito sobre o homem ser o sacerdote do lar e, na realidade, o que estamos fazendo é confundir governo com sacerdócio.

"Quero, porém, que saibam que Cristo é o cabeça de todo homem, e *o homem é o cabeça da mulher*, e Deus é o cabeça de Cristo" (1Coríntios 11.3). A ordem de sujeição é clara: Deus é o cabeça de Cristo, que é o cabeça do homem, que, por sua vez, é o cabeça da *sua* mulher (não da dos outros). Esse texto fala de *governo* e *sujeição*. Porém, por alguma razão, passamos a tratar essa definição como se falasse de *sacerdócio*, ensinando algo mais ou menos assim: se Cristo, por ser cabeça do homem, é seu sacerdote, logo, o homem, por ser cabeça de sua mulher, é sacerdote dela. Se as coisas fossem exatamente assim, então a mulher não exerce sacerdócio sobre ninguém e Cristo não é sacerdote dela, só de seu marido, o que é uma visão errada. Em seu livro *Casamento & família: Uma visão para o viver familiar*, Frederick Price fala acerca dessa questão:

> Eu percebo que esta possa ser uma revelação ou uma ideia revolucionária para você, mas o marido não é o cabeça espiritual da esposa. Muitas pessoas falam do marido como sendo o sumo sacerdote da família, o sacerdote da casa e assim por diante. Mas o marido não é o sacerdote da casa! [...] Toda pessoa nascida de novo é sacerdote e rei, independentemente de sexo, raça ou classe (1Pedro 2.5,9; Apocalipse 1.6). O único cabeça espiritual em qualquer lar é Jesus. Jesus é o cabeça. Ele é o único Sumo Sacerdote. Nós somos, em conjunto, reis e sacerdotes, porque somos o Corpo de Cristo. De outra forma, você estaria dizendo que Jesus é o sacerdote do homem, mas o homem é sacerdote da mulher! E isso coloca um ser humano entre as mulheres e Jesus, exatamente como no Velho Testamento, quando um sacerdote tinha de interceder entre os israelitas e Deus [...]. Jesus é o Sumo Sacerdote de cada pessoa nascida de novo. Homem nenhum pode usurpar a autoridade do Sacerdote de todos os tempos. Se os homens não precisam de um sacerdote humano sobre eles, tampouco precisam as mulheres![1]

Portanto, creio que tanto o marido como a esposa (e também os filhos) são sacerdotes que devem ministrar perante Deus e em favor uns dos outros. A única questão em que o homem se destaca é no governo do

---

[1] PRICE, Frederick. *Casamento & família: Uma visão para o viver familiar*. Rio de Janeiro: Graça Editorial, 1994, p. 71-72.

lar, por determinação divina. O fato de só o marido ser o cabeça da esposa não significa que só ele seja sacerdote no lar!

O GOVERNO ESPIRITUAL DO LAR

Ao escrever a Timóteo, Paulo deu orientações claras acerca de quem poderia ser estabelecido na liderança de uma igreja. Ele mostrou ser necessário que o candidato ao episcopado apresentasse certas qualificações e, entre elas, está governar de forma correta a própria casa: "E que *governe bem a própria casa*, criando os filhos sob disciplina, com todo o respeito. Pois, se alguém não sabe governar a própria casa, como cuidará da igreja de Deus?" (1Timóteo 3.4,5).

Não é somente porque vai governar a igreja que o bispo precisa ter um bom lar. É o contrário. O homem tem de ser o pastor do seu lar como requisito não só para quem ingressa no ministério de tempo integral, pois isso é um exemplo de vida cristã. E, se a pessoa não cumpre um requisito básico da vida cristã, então não tem autoridade para ser um ministro à frente da igreja, pois a liderança bíblica é baseada no exemplo.

Portanto, o mandamento de governar bem o lar — incluindo a vida espiritual — é para todo cristão. Isso envolve uma excelente conduta familiar, que depois será cobrada do líder como exemplo para o restante do rebanho:

> Foi por esta causa que deixei você em Creta: para que pusesse em ordem as coisas restantes, bem como, em cada cidade, constituísse presbíteros, conforme prescrevi a você: alguém que seja irrepreensível, marido de uma só mulher, que tenha filhos crentes que não são acusados de devassidão, nem são insubordinados.
>
> Tito 1.5,6

O homem, além de ser fiel à sua esposa, deve conduzir os filhos no caminho do Senhor, em compromisso e santidade, o que exigirá dele não só conselhos casuais, mas acompanhamento, investimento e ministração na vida espiritual dos familiares. O posicionamento de um homem de Deus deve, sempre, envolver sua casa. Josué foi exemplo disso: "Mas, se vocês não quiserem servir o SENHOR, escolham hoje a quem vão servir: se os deuses a quem os pais de vocês serviram do outro lado do Eufrates ou os deuses dos amorreus em cuja terra vocês estão morando. *Eu e a minha casa serviremos o Senhor*" (Josué 24.15).

Essa afirmação de Josué reflete a responsabilidade daquele homem de não apenas buscar ao Senhor, mas de servi-lo com toda a família. Quando se trata do nosso lar, não existe a história de "cada um por si". Embora a responsabilidade de cada um perante Deus seja individual, precisamos aprender a lutar por nossos familiares, especialmente aqueles estão incumbidos de governar o lar.

O plano de Deus é para toda a família. Quando o Senhor decidiu destruir a humanidade, nos dias de Noé, não proveu salvação apenas para o patriarca, mas para toda a sua casa (Gênesis 6.18). Vemos, também, que Deus prometeu a Abraão que nele seriam abençoadas todas as famílias da terra (Gênesis 12.3). Ao tirar Ló de Sodoma, o anjo do Senhor fez que ele saísse com todos os seus familiares (Gênesis 19.12). No Novo Testamento, lemos sobre um anjo que visitou Cornélio e lhe disse que ele deveria chamar Pedro, "o qual lhe dirá palavras mediante as quais você e toda a sua casa serão salvos" (Atos 11.14). E, quando Paulo conversou com o carcereiro de Filipos, disse: "Creia no Senhor Jesus e você será salvo — você e toda a sua casa" (Atos 16.31).

Deus tem um plano para toda a família. Isso não significa, como já afirmei anteriormente, que, porque um se converteu, todos automaticamente se converterão. Não creio que se trate de uma promessa a todo crente em Jesus. Paulo teve uma revelação do Espírito Santo para uma pessoa específica, num momento específico. Mas podemos e devemos orar por nossos familiares crendo que há um plano divino para toda a família. Porém, cada familiar tem sua responsabilidade pessoal. Nosso papel é ensinar, interceder e evangelizar.

O CABEÇA É O RESPONSÁVEL

Na condição de cabeça, o homem é o responsável de quem Deus cobrará o exercício do governo espiritual de sua casa. É óbvio que a mulher deve participar com o marido, mas a responsabilidade maior não está sobre seus ombros.

Muitos homens se acomodam por ver sua esposa desempenhando bem o seu papel, mas não deveriam agir assim. Por melhor que seja a ajuda da mulher, o homem tem de fazer a sua parte — até porque ele é quem prestará contas a Deus!

No caso da mulher cujo marido não é convertido, entendemos que ela deve exercer sua posição de liderança espiritual sobre os filhos, porém, não sobre o marido. Parece-me ter sido exatamente o que aconteceu na casa de Timóteo, discípulo de Paulo. A Bíblia menciona apenas a mãe dele como sendo convertida: "Paulo chegou também a Derbe e a Listra. Havia ali um discípulo chamado Timóteo, *filho de uma judia crente*, mas de pai grego. Os irmãos em Listra e Icônio davam bom testemunho dele" (Atos 16.1,2). Além de a Bíblia inferir que o pai de Timóteo não era convertido, ainda mostra que a cadeia de ensino e discipulado foi transmitida por meio da avó e, depois, da mãe: "Lembro da sua fé sem fingimento, a mesma que, primeiramente, habitou em sua avó Loide e em sua mãe Eunice, e estou certo de que habita também em você" (2Timóteo 1.5).

Portanto, caso o marido não exerça *governo* na condução espiritual do lar por não ser convertido, a esposa deve assumir esse papel, porém sempre em relação aos filhos, nunca em relação ao marido (1Timóteo 2.12). É claro que a mulher pode ser bênção na vida do esposo, o que inclui, além de oração intercessória, conselhos e até mesmo o fluir nos dons do Espírito Santo. Porém, ela não deve usurpar a autoridade de governo que pertence ao marido.

MINISTRAÇÃO AOS FILHOS

Os pais cristãos devem entender a sua responsabilidade de suprir não somente as necessidades materiais e emocionais dos filhos, mas, também, as espirituais. A Palavra de Deus declara que "Herança do SENHOR *são os filhos; o fruto do ventre, seu galardão*" (Salmos 127.3). Os filhos não nos pertencem, são propriedade de Deus. Ele apenas nos confiou o seu cuidado e, um dia, teremos de responder a Deus pela forma como agimos com eles.

Saber que daremos conta da forma como criamos nossos filhos deve trazer temor ao coração, especialmente no que diz respeito à sua formação espiritual. Essa realidade foi determinada pelo Senhor desde os dias da Antiga Aliança:

> Não se esqueçam do dia em que vocês estiveram diante do SENHOR, seu Deus, em Horebe, quando o SENHOR me disse: "Reúna este povo, e os farei ouvir as minhas palavras, a fim de que aprendam a temer-me durante todos os dias em que viverem na terra e também *as ensinem aos seus filhos*".
>
> Deuteronômio 4.10

Não se trata, apenas, de dar uma boa educação formal, mas sim a verdadeira educação. Trata-se de ensiná-los a andar nas veredas da justiça, nos caminhos bíblicos. "Ensine a criança no caminho em que deve andar, e ainda quando for velho não se desviará dele" (Provérbios 22.6). Essa não me parece ser uma afirmação de difícil interpretação ou aplicação, mas, ainda assim, tenho visto muitos pais distorcerem esse versículo por afirmar que nele há uma promessa divina que garante o retorno à fé de filhos de cristãos que se desviaram, a despeito de qualquer coisa. Contudo, o que a Bíblia realmente diz é que se ensinarmos nossos filhos a andar no caminho certo, *não se desviarão* nem mesmo quando forem mais velhos!

Não estou tentando minar a fé dos pais cujos filhos se afastaram de Cristo. Recomendo que orem e lutem em favor deles. O ponto é que alguns estão se preparando para consertar um problema que nem mesmo precisaria existir. Não posso, por exemplo, tomar a afirmação de Paulo aos coríntios, quando ele os adverte, dizendo "veja que não caia" (1Coríntios 10.12), e tentar fazer parecer que ele falava sobre como podemos ser restaurados caso haja uma queda.

Há outros textos bíblicos que dão esperança a quem caiu, mas, aqui, o apóstolo tentava antecipar-se à queda e não remediá-la. O mesmo deve ser entendido no versículo de Provérbios: ensinar os filhos corretamente no caminho de Deus estabelecerá fundamentos para a vida toda.

Educar os filhos no temor do Senhor é uma responsabilidade de ambos os pais e um mandamento claro e expresso da Nova Aliança: "E vocês, pais, não provoquem os seus filhos à ira, mas *tratem de criá-los na disciplina e na admoestação do Senhor*" (Efésios 6.4). Qualquer atitude diferente dessa é, consequentemente, pecado.

INTERCESSÃO PELA FAMÍLIA

A Bíblia mostra que o líder do lar deve interceder por seus entes queridos. A Palavra de Deus nos mostra que Isaque orava para que Deus abrisse a madre de Rebeca, sua mulher, e ele ouviu suas orações (Gênesis 25.21). As Escrituras nos falam, ainda, acerca de Jó, que periodicamente sacrificava ao Senhor em favor de seus filhos, receoso de eles terem pecado contra Deus (Jó 1.5). Também vemos o rei Davi abençoar sua casa (2Samuel 6.20). O homem e a mulher de Deus precisam ter um coração e uma vida de oração voltados para orar por sua família. Vemos esse exemplo na vida de Esdras: "Então ali, junto ao rio Aava, proclamei um jejum, para nos humilharmos diante do nosso Deus, para lhe pedirmos uma boa viagem para nós, *para os nossos filhos* e para tudo o que era nosso" (Esdras 8.21).

Não estou dizendo que, para se praticar intercessão, alguém necessite ocupar posição de autoridade. A Palavra de Deus nos ensina a orar uns pelos outros (Tiago 5.16). Também vemos Paulo, como líder espiritual, pedindo aos seus irmãos em Cristo que orassem por ele (Efésios 6.19; 1Tessalonicenses 5.25; 2Tessalonicenses 3.1). Em uma família, todos devem orar uns pelos outros. Entretanto, o encargo que recai sobre o líder é ainda maior, uma vez que se espera de quem lidera o exemplo daquilo que todos devem fazer.

Precisamos proteger os nossos familiares, orando por eles e ficando próximos. Se nos descuidamos, o Inimigo pode se aproveitar. O consolo é que Deus é fiel e, mesmo quando falhamos, sua misericórdia ainda pode nos ajudar em nossa negligência intercessória. Afinal, o governo espiritual do lar também envolve proteção. Já vimos que esse é um dos deveres dos maridos, e que Deus deixou isso claro desde o início, quando ordenou a Adão que guardasse o jardim (Gênesis 2.15). Mas guardar de quem, se o homem estava sozinho, se nem mesmo Eva ainda havia sido criada?

Naturalmente, o Criador estava indicando a Adão que Satanás tentaria destruir o que o Senhor estava entregando nas mãos do homem. Se Adão tivesse protegido Eva, as coisas poderiam ter sido bem diferentes. Nós também precisamos guardar e proteger nossa família, e isso envolve oração e vigilância, bem como o ensino da Palavra de Deus no lar. Se orarmos pelo lar, creio que veremos acontecer feitos grandiosos em nosso favor.

ORAÇÃO EM CONJUNTO

Além de interceder pelos familiares junto a Deus, o governante do lar deve proporcionar um ambiente de oração em que os seus não só recebam oração em seu favor, mas também aprendam a orar uns pelos outros. Por isso, a família deve procurar orar junta com constância, como muitas vezes acontecia na igreja primitiva: "Passados aqueles dias, saímos para continuar a viagem. Todos os discípulos, *cada um com a sua mulher e os seus filhos*, nos acompanharam até fora da cidade; e, *ajoelhados na praia, oramos*" (Atos 21.5).

Exercer o governo espiritual do lar não é meramente declarar a Palavra de Deus dentro de casa, é, antes de tudo, vivê-la. Todavia, além de se dispor a ensinar aos filhos, o casal cristão deve aprender a prática de também orar em conjunto. Isso não significa sempre orar junto, pois a vida de oração e devoção a Deus tem uma dimensão individual importante, mas a oração comunitária também deve fazer parte do cotidiano familiar. Quando o casal ora junto, desfruta de benefícios que orar sozinho não proporciona:

> Em verdade também lhes digo que, se dois de vocês, sobre a terra, concordarem a respeito de qualquer coisa que vierem a pedir, isso lhes será concedido por meu Pai, que está nos céus. Porque, onde estiverem dois ou três reunidos em meu nome, ali estou no meio deles.
>
> Mateus 18.19,20

A Bíblia mostra que deve haver sintonia natural e espiritual entre o casal. Desentendimentos roubarão deles o poder de unidade nas orações, com consequências negativas: "Maridos, vocês, igualmente, vivam a vida comum do lar com discernimento, dando honra à esposa, por ser a parte mais frágil e por ser coerdeira da mesma graça da vida. Agindo assim, *as orações de vocês não serão interrompidas*" (1Pedro 3.7).

A correria é um dos maiores inimigos da família no que tange à oração conjunta. Pai, mãe e filhos devem aprender a driblar as dificuldades a fim de pôr em prática o princípio de oração em conjunto. É importante ressaltar que orar junto não é algo que os cônjuges conseguem apenas quando estão no mesmo ambiente, ao mesmo tempo. Antes, envolve acordo, isto é, oração pelos mesmos propósitos e pedidos. Alguns oram fisicamente juntos, mas não estão em sintonia, enquanto outros oram fisicamente distantes, mas fluem sempre "no mesmo trilho". O importante é que cada casal aprenda a melhor forma de manter a vida individual de oração além de conseguir orar junto e um pelo outro.

Não deve haver vergonha ou críticas quanto à forma de cada um orar. A intimidade espiritual precisa ser desenvolvida da mesma forma que a intimidade física e emocional.

CULTO EM FAMÍLIA

Exercer liderança espiritual no lar não exige ter um culto doméstico com horário específico ou dia marcado, mas a prática de um culto em família auxilia muito. Devemos desenvolver o hábito de cultuar Deus em família, o que envolve irem todos juntos ao culto público da congregação, como vemos acontecer desde os dias do Antigo Testamento: "Todos os homens de Judá estavam em pé diante do Senhor, com as suas crianças, as suas mulheres e os seus filhos" (2Crônicas 20.13); "No mesmo dia, ofereceram grandes sacrifícios e se alegraram, pois Deus os havia enchido de alegria. Também as mulheres e as crianças se alegraram, de modo que a alegria de Jerusalém podia ser ouvida de longe" (Neemias 12.43).

Sabemos que nenhuma igreja local é perfeita, mas é melhor que os filhos cresçam em um ambiente em que o Senhor e sua Palavra são exaltados do que num contexto mundano que exalta o pecado e os prazeres da carne. É importante ressaltar que cultuar o Senhor em família não envolve somente a frequência a uma igreja local, mas cultos no lar. O pastor Abe Huber afirma que o culto familiar nos ajuda a priorizar, em um só momento, nossos dois maiores valores: Deus e a família.

A NEGLIGÊNCIA TRARÁ CONSEQUÊNCIAS

Negligenciar o governo espiritual em casa é uma atitude que traz consequências bastante negativas. Afinal, o resultado é juízo divino para o líder, além da evidente rebeldia e frieza espiritual que se manifestará na vida dos filhos. A primeira palavra profética que Samuel proferiu foi contra alguém que ele certamente amava: o sacerdote Eli. O que Deus disse ao pequeno profeta envolvia tanto a casa de Eli quanto sua negligência no cuidado familiar: "Porque eu já disse a ele que julgarei a sua casa para sempre, pela iniquidade que ele bem conhecia, porque os seus filhos trouxeram maldição sobre si, e ele não os repreendeu" (1Samuel 3.13).

Toda omissão na vida espiritual do lar sempre terá consequências sérias. Davi vivenciou problemas com muitos de seus filhos, pois ele era bastante negligente em relação a eles. Adonias, assim como Absalão, se exaltou, querendo usurpar o trono. Mas por trás dessa atitude de rebelião, a Bíblia mostra a negligência de Davi como líder espiritual em casa: "*Seu pai jamais o tinha contrariado*, dizendo: 'Por que você fez isso ou aquilo?' " (1Reis 1.6).

Se não queremos encarar problemas sérios com nossos filhos, nem desejamos que a qualidade do relacionamento deles com Deus seja comprometida, precisamos ser dedicados ao ensinar-lhes a Palavra de Deus e ao orar por cada um deles.

PARA REFLEXÃO

1. Você tem o hábito de orar *pela* sua família? E de orar *com* os seus familiares?

2. Em sua opinião qual é a importância de se cultuar a Deus em família?

3. Ministrar a vida espiritual dos filhos é uma prioridade em sua casa?

MEU MAIOR DESAFIO

Escreva, no espaço abaixo, a sua principal dificuldade para pôr em prática o que é proposto neste capítulo. Em seguida, anote o que você pode fazer para superar esse desafio.

OREMOS

Senhor Deus, oro para que minha família seja, antes de tudo, espiritualmente forte e alinhada à tua Palavra. Que meu lar seja um ambiente onde se cultiva a tua presença. E que a vida de oração, adoração e ensino bíblico marque profundamente a vida dos meus filhos, levando-os a viver para ti.

Em nome de Jesus eu oro. Amém.

13

O PODER DA UNIDADE

Muitos casais cristãos vivem fora do ideal de Deus para a vida matrimonial. É comum testemunharmos, em muitos lares, brigas constantes, desrespeito mútuo e distância entre o casal. Além da infelicidade que isso produz, ainda há a questão do mau testemunho, bem como o prejuízo para a vida espiritual de todos da família. Portanto, esse é um assunto que merece nossa atenção e reflexão.

O princípio bíblico de unidade não apenas produzirá maior realização emocional no relacionamento conjugal e familiar, mas também trará bênçãos de Deus sobre o casal. Saber disso nos encoraja a preservar a unidade. É por isso, aliás, que Satanás luta tanto contra ela. Jesus nos ensinou que unidade e concordância compõem um ambiente propício à intervenção divina em nossa vida (Mateus 18.19,20).

Por outro lado, a falta de unidade gera o resultado inverso, uma vez que o próprio Deus estabeleceu que, em uma situação assim, ele não agiria. A Palavra de Deus destaca, de modo inequívoco, que se o marido desonra a mulher — desrespeitando, assim, sua fragilidade emocional —, há reflexos na dimensão espiritual: "Maridos, vocês, igualmente, vivam a vida comum do lar com discernimento, dando honra à esposa, por ser a parte mais frágil e por ser coerdeira da mesma graça da vida. Agindo assim, as orações de vocês não serão interrompidas" (1Pedro 3.7).

Ao desonrar a mulher como parte mais frágil, isto é, ao maltratá-la física ou verbalmente, o marido não apenas compromete a qualidade de vida emocional no lar, mas atrai problemas sérios para a vida espiritual do casal.

Deus não se agrada de ambientes em que há desarmonia e discordância. O episódio da torre de Babel mostra que a unidade remove limites. O próprio Criador declarou: "Eis que o povo é um, e todos têm a mesma língua. Isto é apenas o começo; agora não haverá restrição para tudo o que planejam fazer" (Gênesis 11.6). Essa foi a razão pela qual Deus confundiu seus construtores a fim de impor-lhes restrições (Gênesis 11.7). Quando o casal se torna um e fala uma só língua, em concordância, marido e mulher removem limites, e Deus se agrada em agir entre eles. Em contrapartida, basta perder a capacidade de ser um e falar a mesma língua que começam os problemas.

Não posso concordar com casais que escondem coisas um do outro, seja no que diz respeito aos erros e pecados do passado, seja com relação a aspectos do presente, como questões financeiras. Acredito que a unidade verdadeira exige que haja remoção ou acerto de "pendências" (Provérbios 28.13). Às vezes, fingimos um comportamento só para agradar (ou não desagradar) o outro, o que diverge do ensino bíblico. Fingimentos não produzem unidade verdadeira e, por isso, temos de aprender a ser francos: "Melhor é a repreensão franca do que o amor encoberto" (Provérbios 27.5).

Paulo censurou esse tipo de comportamento dúbio. Ele falou sobre como Pedro agiu dessa maneira a fim de ser "diplomático" e que essa atitude conseguiu envolver até mesmo o próprio Barnabé. O resultado é que Paulo os censurou publicamente por sua hipocrisia (Gálatas 2.11-14). Por outro lado, vale ressaltar que ser franco não significa ser grosseiro, pois a Bíblia nos ensina a falar a verdade em amor. O conselho a Timóteo, na hora de corrigir os que se opunham a ele, foi o de usar de mansidão (2Timóteo 2.25), pois a unidade manifesta a verdade — às vezes, dolorosa — de maneira bem mansa.

O PRINCÍPIO DO ACORDO

A Bíblia nos ensina que o acordo é indispensável num relacionamento: "Será que dois andarão juntos, se não estiverem de acordo?" (Amós 3.3). A ausência de concordância é uma porta aberta para Satanás. Quando Paulo falou sobre não dar lugar ao Diabo, o fez no contexto de pecados que acontecem nos relacionamentos: "Fiquem irados e não pequem. Não deixem que o sol se ponha sobre a ira de vocês, nem deem lugar ao diabo" (Efésios 4.26,27). Tiago escreveu sobre o mesmo princípio:

> Se, pelo contrário, vocês têm em seu coração inveja amargurada e sentimento de rivalidade, não se gloriem disso, nem mintam contra a verdade. Esta não é a sabedoria que desce lá do alto; pelo contrário, é terrena, animal e demoníaca. *Pois, onde há inveja e rivalidade, aí há confusão e toda espécie de coisas ruins.*
>
> Tiago 3.14-16

Se chegamos ao ponto de dissipar a concordância de nossos relacionamentos familiares, comprometemos não só a qualidade da satisfação na esfera emocional, mas, também, na esfera espiritual do lar. Não é fácil ajustar-se satisfatoriamente na relação conjugal, pois são muitas as diferenças de formação, educação, personalidade e temperamento, entre outras. Entretanto, quando aprendemos a ter o caráter e os ensinos de Cristo como denominador comum, conseguimos esse ajuste por meio de renúncia, perdão, recomeços e outras dinâmicas bíblicas.

Mesmo um casal que parecia perfeitamente ajustado em seu período de namoro e noivado descobrirá a necessidade de mais ajustes em sua sintonia à medida que os anos de casamento passam. Não é uma tarefa fácil, mas, seguramente, é totalmente possível. Se não estivesse ao nosso alcance, Deus seria injusto por cobrar tal padrão de unidade de nós. O fato é que esse acordo não apenas é algo possível, como também uma poderosa chave na vida cristã.

DECISÕES CONJUNTAS

Há uma ordem de governo e autoridade estabelecida por Deus no lar. O marido é o cabeça e, por isso, é explícito que a ele cabe a palavra final. Porém, como já vimos, isso não quer dizer que o homem esteja sempre certo ou que não deva ouvir sua mulher: ela não só *pode*, como *deve* ajudar o marido nas decisões. As Escrituras afirmam que "com muitos conselheiros, há segurança" (Provérbios 11.14), pois, com duas cabeças pensando melhor do que uma, cobrem-se mais ângulos e perspectivas.

Outra razão para que as decisões sejam tomadas mediante o conselho da esposa é que a concordância do casal abre portas no mundo espiritual. O Espírito Santo foi derramado no dia de Pentecostes, num contexto em que os discípulos perseveravam unânimes em oração (Atos 1.14). Depois, num ambiente em que levantaram, unânimes, a voz em oração, novamente todos foram cheios do Espírito e tremeu o lugar onde estavam reunidos (Atos 4.24,31). Na Antiga Aliança, Salmos 133.1-3 já mostrava que, num ambiente em que vivem unidos os irmãos, há um derramar do óleo da unção e o Senhor ali ordena sua bênção. Já vimos que, em Gênesis 11.6, o próprio Deus declarou que quando o povo é um e fala uma só língua, eles removem os limites. Se isso funciona quando alguém se move fora do propósito divino, o que esperar quando a unidade está associada aos planos de Deus? E, ainda que haja um processo, às vezes árduo, para se chegar à concordância, é exatamente esse ajuste desafiador que ajudará o casal a estar em sintonia e receptivo à intervenção celestial.

É importante que o casal dialogue e tome decisões juntos. Desde que casamos, minha esposa e eu sabemos quem é o cabeça, mas foram raras as vezes em que tomei uma decisão sem ter chegado a um acordo. Sempre conversamos acerca do que precisa ser decidido. Quando há dificuldades, necessitamos de muita conversa para amadurecer bem os assuntos. Se a mulher é auxiliadora, é porque o homem precisa de sua ajuda, inclusive nas decisões a serem tomadas.

Na hora de debater sobre alguma decisão, vemos quanto é difícil ouvir o outro, mas devemos atentar para o ensino bíblico: "Responder antes de ouvir é tolice e vergonha" (Provérbios 18.13). Tiago também nos advertiu sobre a importância de ouvir em vez de somente falar: "Vocês sabem estas coisas, meus amados irmãos. Cada um esteja pronto para ouvir, mas seja tardio para falar e tardio para ficar irado" (Tiago 1.19). A verdade é que, normalmente, somos prontos para falar e nos irarmos um com o outro, mas tardios para dar ouvidos ao que o companheiro tem a dizer. Isso precisa ser mudado! Para que haja acordo, precisamos aprender a ouvir.

Porém, não há como se evitar um assunto prático, ainda que delicado: se, nessa tentativa de diálogo, o casal não chegar a um consenso, a responsabilidade final de decisão pertence ao marido. Ele é quem foi instituído por Deus em uma posição de autoridade e governo. A ordem divina de a mulher submeter-se ao marido não é anulada enquanto ela conversa e ajuda o seu marido a tomar uma decisão; porém, se ele decidir de forma distinta do que ela gostaria, cumpre à esposa acatar a liderança do seu esposo.

Segundo as Escrituras, nós não devemos submissão às autoridades e a Deus (Romanos 13.1; Tiago 4.7) somente se concordamos com o que decidem. Acatar só aquilo que concordamos não é obedecer, é fazer valer nossa própria vontade. Se o marido tivesse poder de decisão somente em ocasiões de pleno acordo com a esposa, não haveria instrução bíblica para que a mulher fosse submissa.

A submissão sempre será testada na discordância. E, em situações como essa, se a esposa não se sujeitar ao marido, estará contrariando os princípios divinos: "aquele que se opõe à autoridade resiste à ordenação de Deus, e os que resistem trarão sobre si mesmos condenação" (Romanos 13.2).

Raríssimas vezes, em décadas de matrimônio, tomei uma decisão sem acordo com minha esposa. Em momentos como esse, esgotadas as trocas de ideias e opiniões, decidi baseado na luz que tinha da Palavra de Deus, em convicção interior e bom senso. Garanti a ela, em situações como essa, que estava consciente de que responderia diante do Senhor pelas escolhas feitas e que, portanto, não brincaria com aquilo.

Porém, ressalto que a busca pela concordância deve ser intensa, investindo-se em tempo de diálogo e oração para o marido tomar uma decisão unilateral somente em situações em que se esgotarem os recursos para se conseguir o acordo.

DESENTENDIMENTOS E A FORMA CORRETA DE FALAR

Os desentendimentos ocorrem mesmo entre os cristãos mais dedicados. O que deve acontecer caso haja uma situação de desentendimento é tratar logo da questão. A Bíblia diz que alguém pode se irar e não pecar, pois a ira é uma reação emocional espontânea. Logo, a questão não é o sentimento gerado em algum conflito que determina o pecado e sim o que cada um faz com esse sentimento.

Paulo recomenda que não deixemos o sol se pôr sobre nossa ira (Efésios 4.26,27). Em outras palavras, o apóstolo quer dizer que deve haver acerto, perdão e que nenhuma pendência pode ficar para trás. Precisamos aprender a tratar, de forma rápida e eficiente, com os desentendimentos do lar.

Preservar a unidade não significa nunca se desentender, mas saber manter devidamente o relacionamento quando isso ocorrer. O tempo, por si só, não apaga as ofensas, por isso, deve haver reconciliação o mais rapidamente possível (Mateus 5.23,24).

Alguns acham que a atitude a ser tomada caso haja um desentendimento é "deixar para lá". Porém, a Bíblia ensina o princípio da reconciliação de maneira bem formal: deve-se conversar sobre o que aconteceu, explicitando-se o que machucou o íntimo de cada um e por que, seguido de arrependimento e pedidos de perdão. E, é claro, não podemos perder de vista que devemos lutar para viver sem brigas, não somente buscar a reconciliação o tempo todo (Efésios 4.31).

Além disso, é preciso dar atenção especial à forma de falar. Talvez essa seja uma das áreas mais sensíveis nos desentendimentos, uma vez que comunicação não é somente aquilo que alguém fala, mas é, essencialmente, o que o outro entende. Críticas contínuas, reclamações repetitivas e cobrança ininterrupta certamente não ajudarão o casamento. Portanto, devemos aprender a falar da *forma correta*.

Não estou dizendo que nunca podemos criticar o comportamento do outro, pois falar a verdade e repreender quem está errando é bíblico. Contudo, as Escrituras nos ensinam a seguir a verdade *em amor* (Efésios 4.15). É justamente aqui que encontramos o grande diferencial! A orientação bíblica é que nossas palavras sejam *sempre* agradáveis: "Que a palavra dita por vocês seja sempre agradável, temperada com sal, para que saibam como devem responder a cada um" (Colossenses 4.6).

Além de agradável, nossa palavra deve ser temperada com sal, isto é, deve ser medida antes de ser dita. Temperar a comida é uma arte: com pouco sal, ela fica sem graça, mas, com muito sal, fica ruim. Assim como o sal tem de ser bem dosado, a nossa forma de falar também deve ser. Cada pessoa tem a própria estrutura e seu jeito de ser, seus limites e emoções diferenciados. Portanto, o "tempero" na hora de falar também deve ser personalizado: "Palavras agradáveis são como favo de mel: doces para a alma e remédio para o corpo" (Provérbios 16.24).

No meu casamento, descobri, com o tempo, que palavras de elogio e incentivo exerciam grande influência positiva sobre minha esposa e que críticas a deixavam devastada. Ainda assim, eu sempre defendia a ideia de que a verdade tinha de ser dita e que quem estava errado tinha de ser corrigido. Kelly, por sua vez, dizia que não era contra a correção em si, mas contra a maneira como eu a criticava. Assim, sugeriu que eu a elogiasse primeiro e, depois, a criticasse. Eu me recusei, acusando esse procedimento de ser "psicologia barata". Certo dia, enquanto eu orava, senti claramente como se o Senhor estivesse me repreendendo, pois me lembrei das sete cartas às igrejas da Ásia e percebi que Deus agira exatamente dessa forma: elogio primeiro, correção depois e elogio para finalizar!

Por exemplo, veja a carta dirigida à igreja de Éfeso, em Apocalipse 2:

> *Elogio*: "Conheço as tuas obras, e o teu trabalho, e a tua perseverança; sei que não podes suportar os maus, e que puseste à prova os que se dizem apóstolos e não o são, e os achaste mentirosos; e tens perseverança e por amor do meu nome sofreste, e não desfaleceste." (v. 2,3)
>
> *Correção*: "Tenho, porém, contra ti que deixaste o teu primeiro amor. Lembra-te, pois, donde caíste, e arrepende-te, e pratica as primeiras obras; e se não, brevemente virei a ti, e removerei do seu lugar o teu candeeiro, se não te arrependeres." (v. 4,5).
>
> *Elogio*: "Tens, porém, isto, que aborreces as obras dos nicolaítas, as quais eu também aborreço." (v. 6).

Você vai encontrar o mesmo princípio do elogio antes da correção nas demais cartas às igrejas da Ásia. De igual modo, precisamos aprender a usar nossas palavras para produzir encorajamento! Muita gente só causa ruína quando abre a boca, mas os justos têm uma forma de falar que fortalece: "As palavras dos justos alimentam muitos, mas os insensatos morrem por falta de juízo" (Provérbios 10.21).

Aprendi com o pastor Abe Huber que a melhor forma de corrigir as pessoas é usando o exemplo do sanduíche: tal qual um hambúrguer que leva a carne entre duas metades de pão, a correção deve ser servida entre elogios a serem feitos antes e depois. Isso, além de nos levar a praticar o falar de modo agradável (que é uma ordem bíblica, não uma mera sugestão), também encoraja a pessoa corrigida em vez de apenas desanimá-la. Como disse Charles Spurgeon, a repreensão não deve ser um balde de água fria para congelar o irmão, nem água fervente para queimá-lo.

Nenhum relacionamento sobrevive só de elogios. As pessoas são imperfeitas e, portanto, erram e precisam ser corrigidas. Contudo, ninguém precisa ser grosseiro ou desrespeitoso, mesmo que tenha correções ou críticas a fazer: "A boca do justo produz sabedoria, mas a língua da perversidade será arrancada. Os lábios do justo *sabem o que agrada*, mas da boca dos ímpios só saem perversidades" (Provérbios 10.31,32).

Encorajamento

Lamentavelmente, alguns realmente acreditam que ninguém precisa de incentivo e encorajamento, mas não é isso que pensa o Criador, como mostram repetidamente as Escrituras. Observe, por exemplo, como o Senhor falou com Josué:

> Ninguém poderá resistir a você todos os dias da sua vida. Assim como estive com Moisés, estarei com você. Não o deixarei, nem o abandonarei. Seja forte e corajoso, porque você fará este povo herdar a terra que, sob juramento, prometi dar aos pais deles. [...] Não foi isso que eu ordenei? Seja forte e corajoso! Não tenha medo, nem fique assustado, porque o SENHOR, seu Deus, estará com você por onde quer que você andar.
>
> Josué 1.5,6,9

O que o Senhor estava dizendo a Josué era, basicamente: "Você pode, você consegue! Você não está sozinho para cumprir esta missão, eu estou com você e o capacito. Seja forte e se atreva a confiar que eu o usarei para levar este povo a desfrutar da promessa que esta nação aguarda há séculos". Que encorajamento!

Também deveríamos levar em conta que Deus trabalha a questão motivacional. É só olhar para as abundantes promessas de recompensas aos que o servem! Além de o Senhor nos encorajar ao trabalho, mostrando-nos que podemos cumprir aquilo que nos foi confiado, ele também nos motiva ao nos lembrar continuamente que haverá galardão, isto é, que ao final olharemos para trás e veremos que valeu a pena todo esforço e dedicação.

Se o Pai celeste demonstra em suas conversas e promessas que o ser humano precisa de encorajamento e motivação para realizar a sua obra, isso aponta não apenas uma característica divina a ser imitada (Efésios 5.1), mas, também, revela a necessidade do ser humano de receber encorajamento e motivação.

Nossas palavras curam e ferem, matam e dão vida (Provérbios 12.18). Por isso, não podemos usá-las de qualquer forma. O justo e o ímpio se distinguem em muitas coisas e, de acordo com a Palavra de Deus, não é apenas no caráter e atitudes, mas também na forma de falar (Provérbios 10.11). Da boca do justo jorra vida, enquanto dos lábios do ímpio fluem palavras que ferem. Por isso, precisamos sempre vigiar o que dizemos (Provérbios 13.2-3; 15.2,4,23; 17.27).

Consequências da forma de falar

Nossa maneira de falar produz consequências, que, por sua vez, podem nos ajudar a refletir sobre a forma correta de expor nossas palavras: "A resposta branda desvia o furor, mas a palavra dura suscita a ira" (Provérbios 15.1). Quando alguém se encontra emocionalmente alterado, a palavra branda pode aplacar o sentimento e afastar a raiva. Por outro lado, uma palavra dura provocará a ira. Portanto, precisamos aprender a ser brandos no falar. É a falta de sabedoria nessa questão que faz a maior parte das tentativas de discutir a relação terminar em briga.

Não adianta ser excessivamente duro ao exprimir opiniões. Muitas vezes, as consequências de nossa falta de sensibilidade são desastrosas! Certa vez, ouvi o pastor Abe Huber falar acerca dos os homens da tribo de Efraim e sua forma tempestiva de agir, e também sobre como dois líderes em Israel lidaram de forma completamente diferente com os efraimitas.

A primeira situação aconteceu com Gideão, logo depois de ele vencer os midianitas e livrar Israel. Os homens de Efraim reclamaram com Gideão por não terem sido convocados para a guerra, mas ele os abrandou com a sua palavra: "Não é fato que os poucos cachos de uvas deixados por Efraim são melhores do que toda a colheita de Abiezer? Deus entregou nas mãos de vocês os príncipes dos midianitas, Orebe e Zeebe. O que pude eu fazer em comparação com o que vocês fizeram? Depois de ele dizer isto, abrandou-se a ira deles contra Gideão" (Juízes 8.2,3).

Em outra ocasião, Jefté, também juiz em Israel, teve que lidar com a mesma atitude dos efraimitas. Porém, sua maneira de falar com eles e lidar com a questão foi bem diferente da de Gideão. O resultado? Uma tragédia nacional! Uma guerra civil que custou a morte de mais de quarenta mil pessoas (Juízes 12.1-6).

Gideão, com sabedoria, conseguiu abrandar o coração dos efraimitas e evitou derramamento de sangue. Jefté se viu na obrigação de se defender e sustentar o seu direito e causou um grande banho de sangue.

Que o Senhor nos dê graça e nos ensine a nos comunicarmos com nosso cônjuge de acordo com a vontade de Deus. Com isso, conseguiremos cultivar a unidade em nosso relacionamento conjugal e experimentar seus efeitos benéficos e impactantes.

PARA REFLEXÃO

1. Entender que a unidade (ou a falta dela) tem impacto na dimensão espiritual (e não só emocional) do casal ajuda a priorizar a busca do princípio do acordo? Como isso ocorre?

2. O desafio de se tomar decisões conjuntas é enorme, especialmente quando levamos em conta as diferenças dos cônjuges em questões de gênero, temperamento e criação. Você concorda que explorar o que o casal tem em comum pode ser o ponto de partida? Caso concorde, como as orientações bíblicas deveriam interferir no acordo entre marido e mulher?

3. A forma de falar tem grande poder, tanto a correta como a inadequada. Você acredita que alguém que tenha o argumento certo e o exponha da forma inadequada perde com isso? Como isso pode acontecer?

MEU MAIOR DESAFIO

Escreva, no espaço abaixo, a sua principal dificuldade para pôr em prática o que é proposto neste capítulo. Em seguida, anote o que você pode fazer para superar esse desafio.

OREMOS

Pai celestial, eu te peço que em momento algum a divisão prevaleça em meu lar! Pelo contrário, que nós sejamos despertados debaixo da ação do teu Santo Espírito e da tua Palavra e possamos permanecer vigilantes e sensíveis a ti, vivendo de forma que te exalte e também não comprometa aquilo que o Senhor tem para a minha casa.

Em nome de Jesus. Amém.

14

A RELAÇÃO SEXUAL

Se devemos seguir os preceitos da Palavra de Deus em tudo o que fazemos, é de suma importância entendermos o que a Bíblia ensina a respeito do sexo e da vida íntima do casal. Alguém declarou, com muita propriedade, que uma das maneiras de descobrir o valor e a importância de algo criado por Deus é pelo quanto Satanás se esforça para corromper aquilo. Isso é verdade não só no que diz respeito à família, mas, também, no que concerne ao sexo.

O sexo não é pecado, mas as distorções da sexualidade são. Assim como a gula é pecado, mas o ato de se alimentar não é, o sexo em si não é errado, mas, sim, a deturpação sexual. A primeira verdade que devemos compreender sobre o assunto é que, biblicamente, o sexo pertence ao casamento; é uma dádiva de Deus para o casal. Como um direito pertencente exclusivamente aos que se uniram por meio da aliança matrimonial, não deve ser praticado fora desse contexto.

Paulo escreveu: "Ora, quanto às coisas que me escrevestes, bom seria que o homem não tocasse em mulher; mas, por causa da prostituição, cada um tenha a sua própria mulher, e cada uma tenha o seu próprio marido" (1Coríntios 7.1,2, ARC). Observe bem o singular utilizado: "própria mulher" e, não, "mulheres"; "próprio marido" e, não, "maridos". Desde o início, Deus criou uma mulher para um homem. Esse é o padrão. O Senhor queria que o casal desfrutasse da intimidade sexual sob a aliança de exclusividade do casamento. Portanto, o sexo não é para antes do casamento (pecado conhecido como fornicação) nem com alguém que não o cônjuge (adultério).

Apesar do contexto cultural de poligamia, que vigorou por muitos séculos entre os israelitas da época do Antigo Testamento, os autores do Novo Testamento nunca abriram mão da verdade bíblica da monogamia (1Timóteo 3.2-5). Vemos também que, desde a Antiga Aliança, o padrão determinado por Deus era de que a moça perdesse a virgindade somente ao se casar, e, obviamente, com o próprio marido. Tanto que a perda da virgindade antes do casamento foi chamada de "loucura" e "prostituição" (Deuteronômio 22.13-21).

O momento do rompimento do hímen, na primeira relação sexual da noiva, com o consequente sangramento, faz da aliança do casamento uma aliança de sangue, que era, aos olhos dos povos antigos, o mais elevado e sagrado tipo de aliança que alguém poderia firmar. Embora haja exceções a serem consideradas (como o hímen complacente, que não se rompe no ato sexual, e o hímen rompido por algum tipo de trauma físico), isso não muda a verdade bíblica de que o sexo é uma bênção divina exclusivamente criada para o casamento, e que o matrimônio é uma aliança de sangue.

SEXO NÃO É SÓ PARA PROCRIAÇÃO

A Bíblia ensina que a vida sexual do casal é para seu prazer e não somente para a geração de filhos. Um dos primeiros exemplos bíblicos de relacionamento conjugal mostra isso: "e viu que Isaque acariciava Rebeca, sua mulher" (Gênesis 26.8). A palavra hebraica traduzida como "acariciava" é *tsachaq*, que significa "rir", "gracejar", "divertir-se", "brincar com". A cena ocorrida entre Isaque e Rebeca levou Abimeleque à conclusão de que eles eram casados — fato que haviam negado até então —, o que mostra que esse tipo de comportamento só caberia no relacionamento conjugal.

A meu ver, esse texto fala de uma dimensão de intimidade que deve ser cultivada entre marido e mulher. Risos, gracejos, cócegas e brincadeiras que não aconteceriam com alguém diferente do cônjuge. Não creio que Deus quis isso registrado nas Escrituras só para que soubéssemos como Abimeleque descobriu que Isaque e Rebeca eram casados. Penso que o

Senhor esperava que entendêssemos não só como os povos antigos viam um relacionamento conjugal, mas como deve se dar a intimidade do casal.

Alguns parecem acreditar que o momento sexual pode ser vivido de forma seca ou grosseira. Não posso conceber isso! O plano de Deus envolve uma relação amorosa e prazerosa não somente para o físico, mas, também, para a alma dos cônjuges. Por conta de ensinos equivocados, alguns têm tanto medo de pecar que deixaram de ser românticos, como se isso fosse pecaminoso. A Palavra de Deus revela claramente que há uma vida amorosa de deleite: "Seja bendito o seu manancial, e alegre-se com a mulher da sua mocidade, corça amorosa e gazela graciosa. Que os seios dela saciem você em todo o tempo; embriague-se sempre com as suas carícias" (Provérbios 5.18,19). O texto bíblico fala de se alegrar com a sua mulher. Que tipo de alegria você acha que a Bíblia está mencionando aqui? Por acaso as palavras utilizadas nesses versículos não remetem diretamente à sexualidade? O texto fala de "alegrar-se", "saciar-se" e "embriagar-se" com a esposa! É evidente que o momento amoroso do casal pressupõe muito prazer.

Por sua vez, a esposa declara logo no início de Cânticos: "Beija-me com os beijos de tua boca; porque melhor é o teu amor do que o vinho" (Cântico 1.2, ARA). Portanto, se o amor de um casal não se expressa somente por meio do sexo, é inegável a intensa participação dele — sempre conectado com conceitos como prazer, diversão, regozijo e satisfação.

O que muitos definem como sendo o momento inicial do sexo, tecnicamente chamado de "preliminares", aparece muito na linguagem bíblica. Isso deixa claro que o propósito do sexo não é meramente a reprodução. A Igreja Católica Apostólica Romana sustenta posição contrária aos métodos anticoncepcionais por acreditar e ensinar que o sexo serve somente ao propósito de gerar filhos. Não posso concordar com isso. Deus deu o sexo como uma bênção para o casal, para deleite de marido e mulher. Se a relação íntima servisse apenas para reprodução, o casal poderia ter uma relação sexual a cada um ou dois anos, mas as Escrituras ensinam algo diferente sobre a frequência do ato conjugal:

> Que o marido conceda à esposa o que lhe é devido, e também, de igual modo, a esposa, ao seu marido. A esposa não tem poder sobre o seu próprio corpo, e sim o marido; e também, de igual modo, o marido não tem poder sobre o seu próprio corpo, e sim a esposa. Não se privem um ao outro, a não ser

talvez por mútuo consentimento, por algum tempo, para se dedicarem à oração. Depois, retomem a vida conjugal, para que Satanás não tente vocês por não terem domínio próprio.

1Coríntios 7.3-5

A Bíblia, aqui, está falando de sexo. Perceba que o ato sexual é chamado de "o que lhe é devido", logo, é um *dever conjugal*. Nesse contexto, Paulo fala ao casal sobre não se privar um ao outro da intimidade física, sendo que a única exceção para que haja abstinência deve acontecer a partir da combinação de três condições: concordância (mútuo consentimento), duração (por pouco tempo) e propósito (para se dedicarem à oração).

A frequência sexual apontada neste texto bíblico não parece ser apenas para gerar filhos. Além de promover o prazer, o sexo, na verdade, também protege o cônjuge das tentações. Logo, o texto está dizendo que um cônjuge sexualmente carente pode perder o controle, o que nos leva a entender que, em muitos pecados de adultério, o cônjuge que impôs a falta de sexo pode ser cúmplice do pecado — embora isso não sirva de desculpa para quem adulterou. Com ou sem uma grande inspiração, os casais devem se obrigar a manter a frequência sexual em um nível que garanta tanto realização quanto proteção. Precisamos ser sábios e viver o padrão divino para nosso lar.

DO CLIMA AO CLÍMAX

Muitos cristãos creem que o sexo não é tão importante no casamento, quase como se fosse algo de pessoas carnais. Alguns não admitem isso verbalmente, mas comportam-se como quem acredita nisso, uma vez que não fazem o devido investimento na vida sexual.

Uma rotina íntima saudável requer que haja o entendimento de algo mais do que a consumação do ato conjugal. Muitos casais não procuram ter momentos especiais programados e não há indícios de quase nada que favoreça o "clima" em seus relacionamentos. Devemos olhar para o sexo como se tratando de uma jornada que vai do clima ao clímax.

Pela experiência de décadas prestando aconselhamento a casais, afirmo que muitos não acham necessário preparar-se para o momento do ato sexual (desde a higiene até a forma de se vestir ou mesmo o ambiente em que o sexo vai acontecer). Alguns maridos acreditam que podem passar a vida dando aquela conhecida “rapidinha” e que suas esposas não precisam de mais do que isso. Por outro lado, algumas esposas não conseguem (ou não querem) ser uma inspiração sexual para seus maridos e ainda acham que o sexo só deve acontecer quando seus esposos as procuram e, claro, se ainda derem a sorte de encontrá-las muito dispostas.

O ato sexual praticado pelos cônjuges passa por etapas distintas. O psicólogo e conselheiro matrimonial americano Willard F. Harley Jr. faz um breve resumo dessas etapas no livro *Ela precisa, ele deseja*:

> A experiência sexual divide-se em quatro estágios: excitação, platô, clímax e recuperação. Durante a excitação, o homem e a mulher começam a experimentar sensações sexuais. No homem, isto se dá com a ereção do pênis e, na mulher, com a lubrificação da vagina. Se o pênis do homem e o clitóris da mulher forem estimulados devidamente, eles entram no estágio de platô. Neste estágio, o pênis se torna bastante rígido e a vagina se contrai, proporcionando maior resistência e uma sensação mais intensa durante o intercurso. O clímax, que dura apenas alguns segundos, é o ponto mais alto da experiência sexual. Neste ponto, o pênis lança o sêmen em jatos (ejaculação) e a vagina se contrai e relaxa alternadamente várias vezes. A recuperação é o estágio que se segue, no qual ambos os parceiros se sentem calmos e relaxados: o pênis volta ao estado de flacidez, e a vagina relaxa sem mais produzir aquela secreção lubrificante.[1]

Alguns subdividem a fase de excitação com outra chamada de “desejo”. Isso tudo é simplesmente baseado no estudo do comportamento dos casais, o que parece ser igual em qualquer cultura e época da humanidade. A Bíblia não descreve essas etapas em detalhes ou usando a mesma nomenclatura, mas sugere, nas entrelinhas, que elas estão presentes no romance do casal. Creio, simplificando a linguagem, que precisamos, no mínimo, entender que o ato sexual é um processo que vai do clima ao clímax.

O clima

Homens e mulheres funcionam fisiologicamente de forma diferente. A prontidão do homem para o ato sexual, salvo exceções, é quase instantâ-

[1] HARLEY JR.,Willard F. *Ela precisa, ele deseja*. São Paulo: Candeia. 2003, p. 60.

nea. Já a mulher, via de regra, tem um estímulo distinto. Um antigo ditado diz que a mulher, na questão sexual, é como um fogão a lenha, que leva mais tempo para "esquentar", enquanto o homem é mais parecido com o fogão a gás, com acendedor automático embutido. Apesar das diferenças, homem e mulher iniciarão o ato sexual pela fase da excitação.

A etapa inicial do desejo, ou excitação, pode ser vista em vários textos bíblicos. Escrevendo aos coríntios, Paulo falou sobre estar "abrasado". A expressão fala de alguém que "arde" de desejo sexual. É algo fisiológico. A fase de despertar do desejo, de sedução, pode ser chamada também de "preliminares". Alguns textos bíblicos apontam para esse momento: "Beije-me com os beijos de sua boca! Porque o seu amor é melhor do que o vinho" (Cânticos 1.2); "A sua mão esquerda está debaixo da minha cabeça, e a direita me abraça" (Cânticos 2.6); "Os seus beijos são como o bom vinho [...] que se escoa suavemente para o meu amado, deslizando entre os seus lábios e dentes" (Cânticos 7.9).

Para a mulher, a fase das preliminares não é determinada somente pelo toque físico. Além do ambiente, ainda existem questões muito apreciadas, como a maneira de falar do marido e seu cheiro, o que faz do banho e dos perfumes recursos mais poderosos do que os homens normalmente imaginam: "O seu falar é muito suave; sim, ele é totalmente desejável. Assim é o meu amado, assim é o meu esposo, ó filhas de Jerusalém" (Cânticos 5.16); "Enquanto o rei está assentado à sua mesa, o meu nardo exala o seu perfume. O meu amado **é para mim como um sachê de mirra**, posto entre os meus seios. O meu amado é para mim como um ramalhete de flores de hena nas vinhas de En-Gedi" (Cânticos 1.12-14).

O destaque do cheiro e dos perfumes não é algo feito apenas pela mulher. No romance de Cânticos também vemos o homem destacar isso, embora ele enfoque, primeiro, as carícias:

> Como são agradáveis as suas carícias, meu amor, minha noiva! O seu amor é melhor do que o vinho, e o aroma do seu perfume é mais suave do que todas as especiarias! Os seus lábios destilam mel, minha noiva. Mel e leite se acham debaixo da sua língua, e o cheiro dos seus vestidos é como o cheiro do Líbano.
>
> Cânticos 4.10,11

Percebemos, além do ambiente físico bem perfumado, a ênfase nos beijos e nas carícias — as "preliminares" — como o início de um momento romântico que progride paulatinamente. Até o hálito recebe destaque. Salomão declara: "e o aroma da sua respiração, como o das maçãs" (Cânticos 7.8). Em Provérbios, encontramos a descrição de um cenário romântico presente na imaginação de uma mulher:

> Ela agarrou o jovem e o beijou; e com o maior descaramento lhe disse: "Eu tinha de oferecer sacrifícios pacíficos; hoje paguei os meus votos. Por isso, saí ao seu encontro; vim procurá-lo, e agora o encontrei! Já cobri de colchas a minha cama, de linho fino do Egito, de várias cores. Já perfumei o meu leito com mirra, aloés e cinamomo. Venha, vamos nos embriagar com as delícias do amor, até o amanhecer; gozemos amores"
>
> Provérbios 7.13-18

O ambiente descrito nesses versículos para o prazer aponta para uma cama coberta com o melhor linho e os melhores perfumes, e uma proposta de gozar amores (note o termo no plural) e embriagar-se com as delícias do amor a noite toda. Isso tudo faz parte de um cenário que parece favorecer "clima": a preparação mental e emocional para o ato. Muito embora, na prática, isso pareça ter mais valor para as mulheres, é evidente que tem sua importância.

Algumas esposas realmente precisam entender a importância disso tudo, mas, infelizmente, se equivocam a ponto de tratar toda esta questão do "clima" como se fosse algo impuro ou pecaminoso. É inegável que o texto citado retrata uma situação errada, pecaminosa. Salomão fala de uma mulher que, na ausência do marido, seduz um jovem (chamado na Bíblia de simples e carente de juízo), atraindo-o a uma relação adúltera. Mas o pecado descrito no texto é o adultério, porém, muitos cristãos agem como se todo o ambiente descrito fosse pecaminoso. Não há problema algum em usar os melhores lençóis e perfumes nem há mal em se ter uma noite toda de amores. O problema, obviamente, é fazer isso com alguém que não seja o cônjuge.

Fico particularmente aborrecido com o que algumas igrejas ensinam acerca do sexo. Proíbem as mulheres de qualquer uso de *lingerie* especial, dizendo que isso é imoral. Não é de se admirar que muitos acabem caindo em pecado. É claro que não devemos ser e agir como os ímpios, uma vez que não somos iguais. As Escrituras ensinam a cada cristão: "saiba controlar o seu próprio corpo em santificação e honra, não com desejos imorais, como os gentios que não conhecem a Deus" (1Tessalonicenses 4.4,5). Sei que há, por outro lado, cristãos excessivamente liberais, que defendem qualquer atitude "picante" como válida. Que o Senhor nos guarde desses excessos, mas, também, da ignorância que tem impedido muitos casais de desfrutar melhor um ao outro e ao matrimônio!

O clímax

Fica claro que, se o marido não for romântico e paciente, conduzindo a esposa primeiro ao clima e, depois, carinhosamente ajudando-a a alcançar o clímax, no orgasmo, depois de um tempo, essa mulher já não terá nenhuma empolgação em ansiar o momento de intimidade com ele.

A facilidade e a rapidez do homem em chegar ao clímax é algo impressionante. Porém, em geral, a mulher precisa de mais tempo e qualidade no estágio da excitação para poder chegar ao orgasmo. Como bem escreveu Willard F. Harley Jr.:

> Enquanto as mulheres precisam de estímulos especiais e intensos para alcançar o platô, os homens precisam de muito pouco. O intercurso, em si, já é quase suficiente para o homem, e muitos chegam ao platô sem quase nenhum estímulo. Infelizmente, a necessidade da mulher por mais estímulo, e a do homem por menos, cria um problema sexual muito comum: a ejaculação precoce – o que significa que o homem chega ao clímax cedo demais. À medida que a mulher se movimenta rapidamente em busca de estímulo para chegar ao platô, este mesmo estímulo se torna demasiado para o homem. Ele, então, atinge o clímax e perde a ereção antes que a mulher alcance o platô ou o clímax. Por outro lado, se o homem tenta segurar-se para não chegar ao clímax, ele pode cair do platô de volta ao estágio da excitação, e seu pênis torna-se flácido. Mesmo que ele continue o intercurso, seu pênis não terá a rigidez necessária para dar à esposa o estímulo de que ela precisa. Para muitos homens, manter-se no estágio do platô, sem chegar ao clímax ou voltar ao ponto inicial é um desafio [...]. É muito comum os homens chegarem ao clímax antes que suas esposas tenham sido estimuladas o suficiente para ter prazer no platô ou chegar ao clímax.[2]

---

[2] HARLEY JR.,Willard F. *Ela precisa, ele deseja.* São Paulo: Candeia. 2003, p. 61.

A verdade é que o prazer da esposa no ato sexual depende da decisão, sensibilidade e dedicação do marido. Essa diferença de facilidade ou prontidão ao desfrutar a plenitude, ou clímax, do momento de intimidade física do casal, que é o orgasmo, me parece ser um problema antigo que pode ter começado no jardim do Éden: "E à mulher ele disse: 'Aumentarei em muito os seus sofrimentos na gravidez; com dor você dará à luz filhos. *O seu desejo será para o seu marido, e ele a governará*' " (Gênesis 3.16).

O pecado trouxe consequências. Entre elas, o fato de a mulher ter seu sofrimento aumentado na gravidez e na hora de dar à luz seus filhos. Além disso, o Criador afirmou: "seu desejo será para o seu marido". De que tipo de desejo você acha que Deus está falando aqui? O fato de isso aparecer ligado à questão da gravidez me faz deduzir que o desejo em questão é de ordem sexual.

Comentaristas respeitados, entre eles John Gill e Matthew Henry, apresentam outra visão. Segundo eles, esse desejo tem a ver com a vontade como um todo (no que se refere à questão da sujeição) e não desejo sexual. Porém, sem tentar fazer disso uma doutrina, até porque estou tratando apenas de um comportamento distinto entre homem e mulher, constatado e inegável, imagino essa diferença sendo aqui abordada. Até porque, além da questão do desejo, Deus também declarou à mulher: "e ele a governará". Que tipo de governo está sendo mencionado aqui? Não podemos ignorar o fato de que, *antes* do pecado e da consequente maldição que adveio dele, o Senhor já havia criado o homem para governar e ser o cabeça da esposa.

Portanto, a expressão "ele a governará" (em outras traduções, "dominará") não me parece se referir ao governo do lar ou à sujeição geral da mulher, pois tanto um como outro já haviam sido determinados anteriormente à queda. Deduzo que aponte para o fato de que o desejo da mulher, a partir de então, dependeria do homem para ser ou não satisfeito. Assim, imagino se não foi naquele momento que a diferença de apetite e prontidão sexual ficou estabelecida ou, talvez, tenha sido até mesmo amplificada. Nessa ótica, Deus não estaria dizendo à mulher que, na questão do seu desejo sexual, ela não teria prazer e sim que a decisão de ela aproveitar ou não o resultado pleno do ato conjugal estaria em poder do marido.

Isso também não significa, em absoluto, que os homens deveriam privar suas esposas do deleite físico. Ao longo da existência humana, muitos maridos negaram, por egoísmo ou ignorância, o prazer à esposa. Homens cristãos, com o coração correto e instruídos pelas Escrituras, devem ser exemplos nessa matéria. Eles precisam conduzir suas esposas à plena satisfação emocional e física. Por outro lado, se essa não for a origem da diferença de prontidão sexual entre os gêneros, não muda o fato de que a distinção entre homem e mulher exista e que mereça especial atenção por parte dos maridos.

Há quem diga que o casamento é parecido com um banco: para "sacar", primeiro você precisa "depositar". Paparicar a esposa com elogios, atenção, palavras carinhosas e gentilezas pode ajudar muito um marido a conquistar a esposa para um excelente momento de sexo. É lógico que me refiro a atitudes sinceras, de quem sempre valoriza a mulher, e não de um jogo de interesses com foco egoísta. Lembre-se de que, antes do clímax, vem o clima!

DIÁLOGO E CONCORDÂNCIA

Quando dizemos que o sexo é para o prazer, obviamente se conclui que não é para o prazer exclusivo de um dos cônjuges, mas de ambos. É aqui que começa o problema de muitos casais. A interação sexual prazerosa e madura exige comunicação franca e sincera, isto é, diálogo aberto, porque é necessário haver concordância entre os casais. Embora nem sempre um casal consiga alcançar o orgasmo juntos, os cônjuges devem se esforçar por promover o máximo de prazer ao companheiro.

Quando Paulo diz que os cônjuges não devem se privar um ao outro, isso mostra que a exceção é quando existe mútuo consentimento. Essa concordância não é necessária somente na hora de "dar um tempo" na intimidade para se dedicar à oração, mas deve estar presente em tudo. Isso inclui não só a frequência do ato conjugal, mas também envolve as maneiras de desfrutar dele.

Cada cônjuge ter poder sobre o corpo do outro (1Coríntios 7.4) significa que cada um tem o mesmo nível de autoridade sobre o corpo do outro. De fato, o texto não fala de um cônjuge mandando no outro ou exigindo algo do outro, mas afirma que os dois devem concordar. Nenhum deve se negar ao outro, mas ambos devem entrar em acordo sobre o que, como, quando, onde e até mesmo quanto eles fazem juntos.

A velha e conhecida pergunta “Foi bom para você?” não deveria jamais ser descartada de um relacionamento.

Portanto, o marido cheio do Espírito Santo deve aprender como levar a esposa a desfrutar da plenitude do ato sexual e se esforçar ao máximo para isso. A melhor forma é dialogando, perguntando o que agrada e o que não, como fazer e coisas assim. Sei que isso pode parecer assustador para alguns homens, mas o fato é que muitos maridos precisam aprender a discutir a relação, principalmente a sexual.

Da mesma forma, as mulheres cristãs devem aprender como levar o esposo a desfrutar do melhor ato sexual possível e se esforçar ao máximo para agradá-lo. Como já afirmei anteriormente, uma das características de maturidade na vida de um cristão é quando ele deixa de focar apenas em si mesmo e, vencendo o egoísmo, passa a focar de forma altruísta no próximo (Filipenses 2.4).

PARA REFLEXÃO

1. Constatamos nas Escrituras que o sexo entre marido e mulher é uma dádiva divina. Você acredita que o potencial de deleite físico do casal pode ser afetado se visto de forma diferente? Como seria isso?

2. Você conversa com o seu cônjuge a respeito de questões "do clima ao clímax"?

3. Qual é a importância do diálogo e da concordância do casal na forma de se relacionarem íntima e fisicamente?

MEU MAIOR DESAFIO

Escreva, no espaço abaixo, a sua principal dificuldade para pôr em prática o que é proposto neste capítulo. Em seguida, anote o que você pode fazer para superar esse desafio.

OREMOS

Pai Santo, desejo viver o teu melhor em cada área da minha vida, incluindo a conjugal. Quero poder viver a santidade e a plenitude da intimidade física com meu cônjuge. Sujeito essa área da minha vida a ti. Que meus pensamentos, desejos e a motivação do sexo estejam alinhados à tua Palavra e, assim, te honrem e abençoem meu matrimônio.

Em nome de Jesus eu oro. Amém.

15
OS LIMITES DO PRAZER

Se, por um lado, a intimidade física do casal faz parte do plano de Deus e deve ser vivida intensamente, em contrapartida precisamos ter consciência de que há *limites* para o prazer. Assim como o prazer de comer pode ultrapassar o limite e transformar-se em gula, que é pecado, e o prazer de se deitar e dormir para repor energias pode se transformar em preguiça, que também é pecado, o prazer sexual tem seus limites. Esses não se prendem tanto à intensidade ou à frequência do ato, mas, sim, ao que é praticado pelo casal.

A Bíblia é clara e objetiva ao mostrar que Deus exige honra para o matrimônio e para a pureza do leito conjugal: "Digno de honra entre todos seja o matrimônio, bem como o leito conjugal sem mácula; porque Deus julgará os impuros e os adúlteros" (Hebreus 13.4). Esse texto fala acerca de honra, do grego *timiotatos*, que significa: "de grande valor", "precioso", "mantido em honra", "estimado", "especialmente querido".

Nós honramos o matrimônio por meio de fidelidade conjugal. Porém, é importante ressaltar que mesmo na relação sexual exclusiva entre os casados pode haver impurezas. Essa é a razão de o autor de Hebreus ressaltar tanto honra para o matrimônio (não adulterando) quando preservando o leito sem mácula (praticando sexo biblicamente correto com o cônjuge). Em outras palavras, não podemos achar que pecado sexual para alguém casado seja somente o adultério. Certas coisas maculam o leito de um casal que nunca adulterou, o que nos leva a concluir que nem tudo seja admissível em uma relação íntima entre casados.

Não creio que "dentro de quatro paredes vale tudo", como diz a crença popular. Há limites para o prazer, e a Palavra de Deus atesta isso. Logo, conclui-se que algumas práticas podem macular o leito e serem classificadas como impuras. O grande desafio é determinar quais são essas práticas — sempre, é claro, à luz da Bíblia.

O QUE É PECADO

O primeiro passo para definir os limites do prazer entre pessoas casadas é compreender o que é pecado. Em curtas palavras, a Bíblia define pecado como desobediência à lei de Deus: "Todo aquele que pratica o pecado também transgride a lei, porque *o pecado é a transgressão da lei*" (1João 3.4).

Portanto, pecado é a quebra de um mandamento estabelecido pela Palavra de Deus. Quando alguém faz o que a Bíblia não proíbe, nem direta, nem indiretamente, não está pecando. Esse é o primeiro ponto. O problema surge porque as Escrituras não são explícitas quanto a quais são os limites do prazer, o que gera divergências de opinião.

Alguns aspectos são bem claros, enquanto outros demandam mais atenção e, por isso, pedem que os enxerguemos à luz de princípios divinos. Por exemplo, a Bíblia diz que o sexo pertence exclusivamente ao casamento. Fica evidente que tanto a fornicação (sexo feito por solteiros) como o adultério (sexo com alguém que não o cônjuge) são condenáveis aos olhos de Deus. A Bíblia também condena relações incestuosas, homossexuais e com animais (bestialidade). Porém, não há um texto sequer na Palavra que diga diretamente o que um casal pode ou não fazer.

Portanto, se a Palavra de Deus não fala abertamente sobre quais são os limites do prazer, não posso chamar de pecado o que a Bíblia não chama. Contudo, ainda há que se considerar um detalhe: aquilo que não é pecado para um pode ser para outro. E penso que é aqui que muitos erram ao tentar tratar do assunto de forma generalizada.

Por exemplo, se a Palavra de Deus não proíbe algo, mas, mesmo assim, alguém acredita (ainda que equivocadamente), que ela proíba aquilo, então essa crença pode levar tal pessoa a pecar. Paulo ensinou isso:

> É bom não comer carne, nem beber vinho, nem fazer qualquer outra coisa que leve um irmão a tropeçar. A fé que você tem, guarde-a para você mesmo diante de Deus. Bem-aventurado é aquele que não se condena naquilo que aprova. Mas aquele que tem dúvidas é condenado se comer, pois o que ele faz não provém de fé; e tudo o que não provém de fé é pecado.
>
> Romanos 14.21-23

O que não provém de fé é pecado. Portanto, mesmo que não haja um mandamento específico das Escrituras condenando determinadas práticas sexuais, se alguém acredita que não deveria fazer aquilo, mas faz, tal pessoa peca — pois está praticando aquilo que condena. Pode não ser uma delimitação para outros, mas será para aqueles que violam a consciência. Por exemplo, uma moça que aprendeu que cortar o cabelo é pecado — ainda que a Bíblia não diga isso —, acredita nesse ensino e corta o cabelo está pecando por violar a própria crença e consciência. Assim, não posso afirmar que a Bíblia chame de pecado determinadas atitudes da sexualidade, mas isso não quer dizer que a pessoa que as praticar não estará pecando. Se ela age contra o que crê ser a vontade de Deus, está pecando.

Por essa razão, precisamos definir duas coisas importantes sobre o ato sexual do casal. Primeiro, há princípios bíblicos que devem ser compreendidos e praticados por todos os cristãos, em todos os lugares, de forma absoluta. Segundo, há questões não explicitadas na Bíblia que dependem da consciência individual.

SEGUINDO A CONSCIÊNCIA

Paulo aconselhou os irmãos de Colossos: "*Que a paz de Cristo seja o árbitro no coração de vocês*, pois foi para essa paz que vocês foram chamados em um só corpo. E sejam agradecidos" (Colossenses 3.15). Isso mostra que temos um "juiz", um "árbitro" interior. Se nosso coração tem paz diante de algo que não está explicitado na Bíblia, sintamo-nos livres para seguir adiante. Caso contrário, devemos corrigir o que tem tirado nossa paz. O apóstolo

João também ensinou sobre essa questão: "se o coração não nos acusar, temos confiança diante de Deus" (1João 3.21).

Já aconselhei muitos casais dos quais um dos cônjuges afirmava sentir liberdade para certa prática sexual, porém o outro não sentia paz para tanto. Meu conselho, em situações como essa, é nunca violar a consciência do outro, uma vez que o casal deve andar em pleno acordo, em mútuo consentimento. Por outro lado, há pessoas fazendo coisas que eu jamais faria ou aconselharia e alegam estar em paz e de coração limpo. Eu não fui chamado para definir os limites delas, pois não posso condenar aquilo que a Palavra de Deus não condena.

Quando me perguntam, por exemplo, sobre a questão do sexo oral, eu normalmente respondo que não proíbo nem aconselho, isto é, não prego contra nem a favor. Mas costumo indagar por que as pessoas estão me fazendo tal pergunta. Muitas vezes, a pessoa lida com um "sinal vermelho" interior, em sua consciência. Outras vezes, a razão da pergunta é o fato de que alguém tentou convencer o indivíduo de que aquilo é errado, embora eles não entendam estar ultrapassando nenhum limite.

Não sou eu, nem nenhum pastor de nenhuma igreja, quem pode determinar quais são os limites do prazer. Penso que o papel de um pastor é ensinar tanto sobre o que está escrito de modo objetivo na Bíblia como sobre a importância de seguir a consciência, levando-se em conta que tudo o que não procede de fé é pecado. O resto é responsabilidade de cada um. Paulo disse que existem cristãos com diferentes níveis de entendimento:

> Acolham quem é fraco na fé, não, porém, para discutir opiniões. Um crê que pode comer de tudo, mas quem é fraco na fé come legumes. Quem come de tudo não deve desprezar o que não come; e o que não come não deve julgar o que come de tudo, porque Deus o acolheu. [...] Alguns pensam que certos dias são mais importantes do que os demais, mas outros pensam que todos os dias são iguais. *Cada um tenha opinião bem-definida em sua própria mente*. Quem pensa que certos dias são mais importantes faz isso para o Senhor. Quem come de tudo faz isso para o Senhor, porque dá graças a Deus. E quem não come de tudo é para o Senhor que não come e dá graças a Deus.
>
> Romanos 14.1-3,5,6

Com essas palavras, Paulo nos instrui a não ficar discutindo para tentar saber quem está certo e quem não está, embora tenha manifestado sua visão do assunto ao denominar um deles como "fraco na fé". O apóstolo enfatizou que não deve haver desprezo ou julgamento entre pessoas que creem de forma diferente acerca de detalhes que envolvem a vida cristã.

Portanto, o primeiro aspecto que devemos estabelecer é que algumas convicções devem ser mantidas no nível pessoal. O problema é que as pessoas querem estabelecer os limites dos outros em áreas que nem a Bíblia o fez. Os que são, por exemplo, radicalmente contra o sexo oral querem proibir todos, enquanto os que dizem sentir liberdade para a prática querem convencer os que não sentem a mesma liberdade a fazer o que eles fazem. Diante disso, temos de nos lembrar do que Paulo escreveu: "A fé que você tem, guarde-a para você mesmo diante de Deus" (Romanos 14.22). Há certas convicções que não deveriam ser debatidas, mas, sim, ser mantidas no âmbito estritamente pessoal.

SEXO ORAL

As questões mais discutidas quanto aos limites no sexo envolvem a prática do sexo oral. A verdade é que não há absolutamente nenhum versículo bíblico que estabeleça proibição acerca disso. Numa situação assim, a forma de entender uma restrição bíblica sem um versículo específico é analisando o todo da questão.

Por exemplo, não há nenhum texto das Escrituras que diga "não fumarás". Entretanto, a Palavra de Deus fala sobre não destruir o santuário de Deus que é o nosso corpo (1Coríntios 3.16,17), algo que notoriamente o cigarro faz. A Bíblia também fala sobre não se deixar dominar por coisa alguma (1Coríntios 6.12), princípio ferido por todo vício, inclusive o do fumo. Logo, mesmo sem um mandamento explícito como "não fumarás", sabemos que fumar está fora dos limites.

Não podemos dizer o mesmo sobre o sexo oral. Além de não existir o mandamento "não farás sexo oral", também não encontramos outra restrição que seja vista como correlacionada. Pelo contrário, além dos beijos trocados, que aparecem em Cânticos, ainda há textos que sugerem o contato dos lábios com outras partes do corpo. Por exemplo, Provérbios declara: "Que os seios dela saciem você em todo o tempo". O que isso significa? A continuação do texto é a resposta: "embriague-se sempre com as suas carícias" (Provérbios 5.19). Está explícito que a afirmação da troca de carinho não limita o ato a um exclusivo toque da mão. O mesmo vemos em Cânticos: "O seu umbigo é uma taça redonda onde nunca falta bebida" (Cânticos 7.2).

Por outro lado, também não há nada que obrigue um casal a adotar tal prática. Isso deve ser decisão dos cônjuges, tomada em oração, análise do coração e consenso mútuo.

SEXO ANAL

É preciso reconhecer que há muita forçação de barra para falar contra ou a favor do sexo anal. Um versículo que sempre ouvi ser apresentado para falar contra essa prática diz:

> Por causa disso, Deus os entregou a paixões vergonhosas. Porque até as mulheres trocaram *o modo natural* das relações íntimas por outro, contrário à natureza. Da mesma forma, também os homens, deixando *o contato natural* da mulher, se inflamaram mutuamente em sua sensualidade, cometendo indecência, homens com homens, e recebendo, em si mesmos, a merecida punição do seu erro.
>
> Romanos 1.26,27

Quando a Bíblia diz que "mudaram o modo natural de suas relações íntimas por outro, contrário à natureza", está se referindo ao fato de que mulheres passaram a se envolver com mulheres e homens com homens, o que é um tipo de pecado repetidamente condenado nas Escrituras. No entanto, tenho visto esse texto que fala da prática homossexual ser usado contra o sexo anal e oral alegando que os homens, quando mantinham relações com outros homens, dependiam da penetração anal, e que as mulheres, em suas relações com outras mulheres, por estarem desprovidas da possibilidade natural de penetração, mantinham entre si a forma de sexo oral.

Porém, usar esses versículos para tentar estabelecer os limites do prazer em um contexto de casamento heterossexual seria errar ao transformar a prática da homossexualidade em apenas um pecado de ultrapassar os limites do prazer. Seria como dizer que se *gays* e lésbicas apenas se beijassem e mantivessem um contato de carícias, sem sexo oral ou anal, eles não estariam errando.

O texto de Romanos 1.26,27 não diz respeito ao que se faz, mas a com quem se faz uma prática sexual errada. Paulo diz que a relação homossexual é contrária à natureza por representar um abandono do padrão que desde o princípio Deus estabeleceu para homem e mulher em uma aliança matrimonial. Logo, no plano de Deus não cabe a prática homossexual (Levítico 18.22).

Por outro lado, acredito que a expressão "contrário à natureza" também se aplica como advertência à penetração num orifício do corpo que não foi projetado para o ato sexual. Entretanto, o texto bíblico que, em minha opinião, dá a entender que o sexo anal seja errado é este:

> Ou não sabeis que os injustos não herdarão o reino de Deus? Não vos enganeis: nem *impuros*, nem idólatras, nem *adúlteros*, nem *efeminados*, nem *sodomitas*, nem ladrões, nem avarentos, nem bêbados, nem maldizentes, nem roubadores herdarão o reino de Deus. Tais fostes alguns de vós; mas vós vos lavastes, mas fostes santificados, mas fostes justificados em o nome do Senhor Jesus Cristo e no Espírito do nosso Deus.
>
> 1Coríntios 6.9-11, ARA

O texto lista práticas pecaminosas diversas, falando de ações que muitos de nós praticávamos antes de sermos salvos e santificados por Deus. Nessa lista, há quatro diferentes pecados de ordem sexual: "impuros", "adúlteros", "efeminados" e "sodomitas".

A palavra do original grego traduzida como "impuros" é *pornos*, que significa "homem que prostitui seu corpo à luxúria de outro por pagamento", "prostituto", "homem que se entrega à relação sexual ilícita", "fornicador". Já a palavra traduzida por "adúlteros" é *moichos* e significa: "adúltero". A palavra "efeminados", no grego, é *malakos* e significa "mole", "macio para tocar" e, metaforicamente, "afeminado", "rapaz que mantém relações homossexuais com um homem", "homem que submete o seu corpo a lascívia não natural". Já a palavra "sodomitas" vem do grego *arsenokoites* e significa "alguém que se deita com homem e com mulher", "sodomita", "homossexual". Vale ainda acrescentar que a palavra *arsenokoites* é uma composição de *arsen*, que significa "macho", "varão", com *koite*, que significa "lugar para se deitar", "descansar", "dormir", "cama", "leito", "leito matrimonial". Portanto, *arsen* + *koite* (= *arsenokoites*) significa "deitar-se com homem".

Agora, observe: Paulo fala de alguém que fornica (pecado sexual de solteiros). Depois, cita indivíduos que adulteram (pecado sexual de alguém casado). Em seguida, menciona pessoas afeminadas e que mantêm relações sexuais com outro homem (pecado de sexualidade contrária à natureza). Por fim, quando parece não haver mais nenhum pecado de ordem sexual a ser abordado, ele acrescenta "sodomita". Não creio que ele esteja se referindo só ao homossexualismo, mas à prática de sexo anal que, ao longo dos séculos e das culturas, tem sido usada para falar especificamente acerca da penetração anal (a despeito de ser feita com homem ou mulher). Em meu entendimento, diferente do sexo oral, há aqui uma provável restrição bíblica e não apenas uma mera questão de consciência.

Além do princípio bíblico, concordo com a posição do psicólogo e terapeuta familiar e sexual Douglas E. Rosenau sobre outros problemas, de cunho orgânico e anatômico, causados pela prática do sexo anal. Ele escreveu:

> Muitos homens cristãos têm permitido que o sexo anal se torne uma verdadeira obsessão, em detrimento do resto do relacionamento. Eles se fixam neste comportamento como sendo um símbolo de variedade ou aventura. O tecido vaginal foi concebido por Deus para ser usado no relacionamento sexual, porém o ânus, não. Com hemorroidas e a fragilidade da área retal, é mais sensato não fazer do ânus uma área de excitação sexual. É extremamente fácil provocar ferimentos ou lesões na área retal. Ainda, muitas bactérias presentes ali podem interferir negativamente no equilíbrio bacteriológico da vagina e provocar infecções vaginais.[1]

MASTURBAÇÃO

Não há um texto bíblico que fale diretamente acerca da masturbação. Porém, no que se refere a solteiros, devemos lembrar que, além da questão da consciência, é preciso levar em conta o propósito do sexo. O Criador nos fez como seres sexuais não só para procriação, mas para expressar amor ao cônjuge. O sexo foi projetado e idealizado por Deus para ser desfrutado a dois.

---

[1] ROSENAU, Douglas E. *Celebração do sexo*. São Paulo: Hagnos, 2006, p. 323.

Afinal, não é algo realizado apenas para *ter*, mas, principalmente, para *oferecer* prazer à pessoa que amamos. Logo, um ato sexual realizado sozinho é contrário ao seu propósito original. É por esses princípios, e somente por eles, que me manifesto contrário à prática da masturbação.

Neste ponto, preciso esclarecer um erro comum que existe sobre o assunto. Há quem alegue que a base bíblica para se condenar a masturbação encontra-se neste episódio da vida de Onã, um dos filhos de Judá:

> Judá tomou uma esposa para Er, o seu primogênito; o nome dela era Tamar. No entanto, Er, o primogênito de Judá, era mau aos olhos do SENHOR, e por isso o SENHOR fez com que ele morresse. Então Judá disse a Onã:
>
> — Tenha relações com a mulher do seu irmão, cumpra a obrigação de cunhado e dê uma descendência ao seu irmão.
>
> Mas Onã sabia que o filho não seria considerado seu. Por isso, todas as vezes que tinha relações com a mulher de seu irmão *deixava o sêmen cair na terra, para não dar descendência a seu irmão*. Isso, porém, que fazia, era mau aos olhos do SENHOR, e por isso fez com que também este morresse.
>
> Gênesis 38.6-10

Onã praticou o chamado "coito interrompido", uma antiga medida anticoncepcional. Não há nesse texto nenhuma referência explícita à prática da masturbação. Na verdade, trata-se de uma relação sexual normal entre um homem e uma mulher. As pessoas resolveram definir masturbação como "onanismo", mas não é isso que diz o texto. Não se pode pegar o trecho "deixava o sêmen cair na terra" esquecendo que, no contexto, a razão para ele fazer isso era "para não dar descendência a seu irmão".

O pecado de Onã foi se aproveitar sexualmente de sua cunhada a fim de dar um descendente ao irmão e, na hora do ato, não cumprir com o propósito da relação. Uma vez que Onã não queria a responsabilidade de gerar um descendente, não deveria, portanto, coabitar com a viúva. Esse costume já existia entre os povos antigos, a ponto de Deus ter dado a Moisés, tempos depois, um mandamento que o proibisse:

> Se dois irmãos morarem juntos, e um deles morrer sem filhos, a mulher do que morreu não se casará com um estranho, alguém de fora da família; *seu cunhado a tomará, a receberá por mulher e exercerá para com ela a obrigação*

de cunhado. O primogênito que ela lhe der *será sucessor do nome do seu irmão falecido*, para que o nome deste não se apague em Israel.

Porém, se o homem não quiser se casar com a cunhada, ela irá ao portão da cidade para falar com os anciãos, e dirá: "Meu cunhado se recusa a dar continuidade ao nome de seu irmão em Israel; não quer exercer para comigo a obrigação de cunhado". Então os anciãos da cidade devem chamá-lo e falar com ele. Se ele persistir e disser: "Não quero casar com ela", então a cunhada chegará perto dele, na presença dos anciãos, e lhe descalçará a sandália do pé, e lhe cuspirá no rosto, e protestará, dizendo: "Assim se fará com o homem que não quer edificar a casa de seu irmão". E, em Israel, se dará à casa daquele homem o nome de "A casa do descalçado".

Deuteronômio 25.5-10

O problema é que distorcem o que ocorreu no relato de Onã, para dizer que o pecado do "onanismo", que atraiu a ira de Deus, seja "derramar o sêmen no chão". Logo, seguindo essa lógica, quem se masturba e, assim, derrama seu sêmen no chão, estaria cometendo o mesmo pecado. Mas essa interpretação está errada.

É impressionante a violência à interpretação bíblica que algumas pessoas fazem para tentar estabelecer uma doutrina. Se o problema em questão fosse derramar o sêmen, então as mulheres poderiam se masturbar à vontade. O pecado somente seria para os homens que "derramam seu sêmen por terra". E, seguindo a linha de pensamento, a polução noturna — eliminação natural do sêmen — também seria taxada como condenável, ainda que involuntária.

Ao lidarmos com a questão dos solteiros, isso é um assunto praticamente resolvido, sem problemas. Mas normalmente a pergunta dos casados é: "Podemos proporcionar prazer sexual ao nosso cônjuge dessa forma?". Aqui há uma simples questão de aplicação lógica. A masturbação é errada para o solteiro porque é uma prática individual (modalidade inexistente de sexo na Bíblia) e, assim, fere o propósito divino do sexo, que é ser desfrutado a dois pelo casal. Porém, quando um casal resolve praticar, mutuamente, o estímulo genital, cada um oferecendo prazer ao seu cônjuge, entendo que não seja condenável. Portanto, a menos que alguém encontre um limite em sua própria consciência, o que creio é que não há uma violação bíblica nesse assunto, nem algo que contrarie o propósito do sexo entre o casal.

Observe, contudo, que não estou fazendo uma distinção de *quem* se masturba, se é solteiro ou casado, mas sim me referindo a *como* os casados podem vir a fazer isso. Se alguém que é casado se masturba sozinho, está errado. Se alguém que é solteiro faz isso não sozinho, mas com quem não é casado, também peca. Porém, se marido e mulher decidem estimular-se dessa forma, não sendo sexo individual, entendo que a prática não pode ser vista como pecado.

Há casos específicos, como os de ejaculação precoce, em que essa prática tem sido a forma que garante a satisfação de ambos os cônjuges. Homens que tiveram problemas de saúde que afetaram a ereção puderam, dessa maneira, assegurar que suas esposas ainda tivessem carinho e prazer sexual.

Porém, voltando à questão da masturbação dos solteiros ou cônjuges que se utilizam desse artifício sozinhos, algo que também está intimamente ligado ao fato de a masturbação ser pecado é que ela envolve a lascívia, a luxúria. Afinal, ninguém se masturba pensando em uma parede, mas sempre há uma fantasia que ocorre com a ajuda da imaginação ou mesmo de fotos e vídeos eróticos. Até pessoas casadas, em geral, não se masturbam pensando no cônjuge, mas em outras pessoas. As implicações pecaminosas podem se desdobrar ainda mais, mas penso que já temos o argumento estabelecido.

CUIDADO COM OS PADRÕES DO MUNDO

Outra questão importantíssima, que não se pode deixar de levar em conta quando se trata dos limites do sexo, é que não podemos nos conformar com os padrões do mundo. A Bíblia é clara quanto a isso:

> Portanto, irmãos, pelas misericórdias de Deus, peço que ofereçam o seu corpo como sacrifício vivo, santo e agradável a Deus. Este é o culto racional de vocês. E *não vivam conforme os padrões deste mundo*, mas deixem que Deus os transforme pela renovação da mente, para que possam experimentar qual é a boa, agradável e perfeita vontade de Deus.
>
> Romanos 12.1,2

A Bíblia é muito clara: não podemos tomar a forma, isto é, o molde, do mundo. Em nossos dias, somos bombardeados pelos apelos da mídia, que despeja sobre nós, o tempo todo, os padrões mundanos de relação sexual.

Uma coisa que ajuda a estabelecer os limites é checar a motivação e a origem de alguns desejos que se manifestam no íntimo das pessoas.

Em certa ocasião, um irmão me perguntou se era certo ou errado trazer um pouco de certas comidas e bebidas para seus "jogos sexuais" com a esposa. Respondi a pergunta com outra: "Você se inspirou na Bíblia, que diz: 'O teu umbigo é taça redonda, a que não falta bebida', ou em algum filme para fantasiar esse momento?". Diante disso, ele retrucou: "Valeu, pastor! Já entendi tudo".

A questão não é só o que se faz e como se faz, mas, também, por que faz. Pessoas que criam fantasias com base, por exemplo, no consumo de filmes pornográficos, estão debaixo de uma influência mundana que as domina. Nesses casos, a questão não é mais se aquela prática é lícita ou não, mas o fato de que a motivação era problemática. Muitas esposas se queixam, por exemplo, de que, embora não vejam nenhum problema no sexo oral em si, sentem-se mal quando o marido as "nivelam" com as atrizes de filmes pornôs.

Portanto, devemos sempre nos questionar quanto do mundo estamos trazendo para nosso leito conjugal. Não há meio-termo: "Adúlteros, não sabeis que *a amizade do mundo é inimizade contra Deus*? Aquele, pois, que quiser ser *amigo do mundo constitui-se inimigo de Deus*" (Tiago 4.4, TB).

Muita gente gasta tempo tentando descobrir regras sobre o que é proibido ou não no sexo. Porém, as Escrituras nos ensinam a tratar não só com proibições e permissões, como Paulo declarou: " '*Todas as coisas me são lícitas*', *mas nem todas convêm*. 'Todas as coisas me são lícitas', mas eu não me deixarei dominar por nenhuma delas" (1Coríntios 6.12); " 'Todas as coisas são lícitas', mas nem todas convêm; '*todas as coisas são lícitas*', *mas nem todas edificam*" (1Coríntios 10.23). Fica claro que o que conta não é somente o que é certo ou errado, proibido ou permitido, mas se algo exerce ou não algum tipo de domínio sobre a pessoas se convém ou não, se edifica ou não.

Motivações devem ser avaliadas. Em certa ocasião, um homem me perguntou se eu achava válido apimentar a relação dele com a esposa fantasiando-a de enfermeira. Respondi que o problema não era o que a mulher dele estaria vestindo na hora do sexo, mas qual seria a razão que o faria sentir excitação por ela estar vestindo algo que não representava quem de fato era. Afinal, se ele estava alimentando a ideia de um envolvimento com uma enfermeira, ainda que fosse "mascarada de esposa", então há indícios de uma motivação adúltera e, portanto, errada.

Isso é óbvio. Alguém que pede ao cônjuge que use uma peruca ou uma roupa distinta a cada relação sexual precisa imaginar alguém diferente em cada ocasião. O corpo pode ser o do cônjuge, mas, em sua imaginação, está adulterando. Isso significa que sou contra fantasias e criatividade? De modo algum! Significa que sou favorável a tudo? Também não. O que significa é que precisamos de um filtro em nossas motivações e, para isso, além de conversas francas entre o casal, questionando as intenções do coração, precisamos da ajuda do Espírito Santo, a quem podemos orar como o salmista: "Sonda-me, ó Deus, e conhece o meu coração, prova-me e conhece os meus pensamentos; vê se há em mim algum caminho mau e guia-me pelo caminho eterno" (Salmos 139.23,24).

SEXO NO PERÍODO MENSTRUAL

Na Antiga Aliança, o sexo na menstruação era proibido (Levítico 12.2; 15.19,24; 20.18; Ezequiel 22.10). Na verdade, não só o ato sexual, mas qualquer forma de contato com a mulher era vedada durante aquele período. O casal não podia nem mesmo compartilhar o leito. Hoje, na Nova Aliança (Hebreus 9.10), não há nenhuma ordenança bíblica que estabeleça alguma restrição para a relação sexual durante o período menstrual. Contudo, os limites do prazer não deveriam ser definidos somente pelo fato de haver (ou não) mácula espiritual. Além do que as Escrituras definem com clareza, os limites do sexo também devem ser estabelecidos de acordo com um consenso ao qual o casal chega, levando-se em consideração outros fatores.

O corpo da mulher enfrenta certas mudanças fisiológicas durante o período menstrual. Muitas delas passam por grande desconforto e, até mesmo, dor. Além de incomodadas, muitas estarão indispostas, o que indica a necessidade de "um tempo", o que é muito justo e merecido, além de ser uma ótima oportunidade para que o marido se dedique à oração e exerça domínio próprio.

Existe ainda a questão da higiene e da saúde. No período menstrual, o equilíbrio bacteriológico pode ser afetado. É claro que há formas de se driblar esse risco, como o uso de preservativos ou o sexo no banho.

Porém, em meu entendimento, isso deveria ser fruto de uma iniciativa da própria esposa, e não de uma "pressão" imposta pelo marido desprovido de autocontrole — virtude imprescindível para a vida cristã.

Eu diria que o sexo no período menstrual é desaconselhado, a menos que o casal, em comum acordo, encontre formas de transpor o desconforto. Mas de forma alguma poderia dizer que a menstruação é um limite bíblico para o prazer que, se desrespeitado, traria mácula ao leito conjugal.

A visão saudável do sexo no casamento deve ser uma combinação de entendimento de princípios bíblicos, diálogo e acordo entre os cônjuges, além de sensibilidade ao Espírito Santo. Às vezes, motivações egoístas (ou de qualquer outro adjetivo negativo) só virão à tona por intermédio da ajuda do alto. E o Ajudador que em nós habita pode trazer luz ao nosso íntimo.

Um coração temente, disposto a honrar a Deus (e seu cônjuge) e a buscar o melhor para o parceiro de aliança, dificilmente ficará sem desfrutar da plenitude sexual. A exceção pode envolver questões de ordem física, como impotência ou baixa libido. Nesses casos, deve-se buscar ajuda profissional sem, necessariamente, deixar de orar em busca do socorro celestial.

PARA REFLEXÃO

1. Discutimos os limites para o prazer definidos pela Palavra de Deus, mas também apresentamos a possibilidade de limites "personalizados", fruto de convicção interior. Como um casal deveria conversar sobre essas questões?

2. Considerando o que tratamos sobre a mentalidade parasita (egoísta) *versus* a mentalidade divina (altruísta e doadora), como você acha que cada cônjuge deveria agir com o outro na busca da definição dos limites na vida sexual?

3. Como você avaliaria, diante de Deus, a intimidade sexual em seu matrimônio? Há necessidade de ajustes, conserto ou até mesmo arrependimento? Liste, em oração e diálogo com seu cônjuge, o que vocês poderiam melhorar.

MEU MAIOR DESAFIO

Escreva, no espaço abaixo, a sua principal dificuldade para pôr em prática o que é proposto neste capítulo. Em seguida, anote o que você pode fazer para superar esse desafio.

OREMOS

Pai, eu te peço graça e sabedoria para conseguir desfrutar da plenitude sexual no casamento e da plenitude espiritual oriunda de uma vida santa, que te honre e preserve o leito conjugal sem mácula. Ajuda-me a alcançar esse equilíbrio.

Em nome de Jesus. Amém.

CONCLUSÃO

Agora que apresentamos os fundamentos bíblicos da família como lente que influencia a revelação de Deus, os alicerces do que é o matrimônio e a maneira do casal cristão se relacionar em importantes áreas, encorajo você a olhar para o seu casamento e a sua família como projetos celestiais que merecem cuidado e dedicação.

O Altíssimo tem expectativas acerca de nossas famílias. Se o amamos e honramos de fato, como não valorizar aquilo que ele valoriza? Como não lutar pelo que o Criador da família luta? Portanto, mais do que apenas dar o melhor de nós no relacionamento familiar, devemos buscar o melhor de Deus: sua presença, suas intervenções e seu favor. Lembre-se de que, quando Josué lutou pela aliança com os gibeonitas (ainda que não estivesse satisfeito com ela), ele também viu uma mobilização poderosa e sem precedentes da mão divina.

Com o propósito de ajudar você, elaborei, ao fim de cada capítulo, algumas perguntas práticas. Porém, há muito mais a questionar e a se perguntar ao cônjuge. Invista tempo tanto na oração como no diálogo — talvez, até relendo capítulos que falaram mais ao seu coração ou que pareçam não ter falado nada. Busque o crescimento e o aperfeiçoamento do matrimônio com dois anseios inegociáveis: agradar a Deus e a seu cônjuge.

E que, assim, as ricas bênçãos celestiais sejam derramadas sobre você e sua casa!

APÊNDICE

Marcos de Souza Borges (Coty)
Diretor da Base Jocum Almirante Tamandaré e da Editora Jocum Brasil

Venerado seja entre todos o matrimônio e o leito sem mácula;
porém, aos que se dão à prostituição e aos adúlteros Deus os julgará.
Hebreus 13.4, ARC

A saúde e o futuro de qualquer sociedade dependem, basicamente, de como ela define o casamento. Um dos aspectos mais importantes da bênção divina é que ela está vinculada não apenas ao indivíduo, mas à família: "em ti serão benditas todas as famílias da terra" (Gênesis 12.3, ARC).

Quando o matrimônio perde esse lugar de veneração, a família torna-se disfuncional, o que resulta em uma dinâmica multigeracional de propagação de iniquidades. Dessa forma, o crescimento se opõe à qualidade de vida, naufragando a sociedade em imoralidade sexual, pobreza, violência e insegurança.

Surgem as questões: como podemos dar respostas espirituais para os problemas e os dilemas sociológicos? Como podemos edificar a Igreja se o mais importante alicerce social está culturalmente danificado e banalizado? "Destruídos os fundamentos, que poderá fazer o justo?" (Salmos 11.3).

Para compreendermos melhor quais são as influências que mais têm afetado a nossa geração, de onde elas vêm e como começaram e se desenvolver, é fundamental mencionarmos as quatro grandes revoluções que aconteceram na história humana no campo da sexualidade e que produziram repercussões globais. Com isso, podemos ter em mãos uma abordagem histórica e sociológica acerca do matrimônio e, principalmente, um discernimento específico das heranças culturais que mais influenciam o comportamento da presente geração.

As quatro principais revoluções sexuais são: (a) Jesus e a Igreja Primitiva; (b) Movimento monástico; (c) Lutero e a Reforma Protestante; e (d) A revolução sexual de 1960.

JESUS E A IGREJA PRIMITIVA

A primeira grande revolução e restauração sexual que precisa ser mencionada começou na mensagem de João Batista (Lucas 1.17), teve o seu auge no ministério de Jesus e alcançou profundidade, estabilidade e abrangência com o crescimento e o enorme impacto causado pela atuação da Igreja Primitiva.

Jesus libertou a mulher, tirando-a de uma posição de inferioridade em relação ao homem e resgatando o seu valor como imagem e semelhança de Deus. Ela é auxiliadora idônea do homem, e "idônea" refere-se a estar à mesma altura, olhar de igual para igual, ser capaz de ajudar (e não inferior), permanecer ao lado (não atrás e nem à frente).

Jesus restaurou os direitos da mulher confrontando diretamente a cultura sacerdotal de divórcio e adultério e, indiretamente, condenou a poligamia praticada formal e informalmente pela maior parte do mundo. Com isso, ele restabeleceu o propósito original de Deus em relação ao matrimônio monogâmico. Cristo confrontou a classe religiosa reportando-se ao início da criação: "No princípio não era assim". Com isso, promoveu uma volta ao estado original.

Jesus valorizou o ministério da mulher. Mulheres participavam de forma direta no seu ministério. Posteriormente, foram percebidas ativamente na vida na Igreja Primitiva, cuidando de igrejas e atuando no ministério com os apóstolos.

Enquanto a poligamia desvaloriza a mulher e enfraquece os filhos, o cristianismo libertou as mulheres: o casamento passou a ser visto como uma união permanente e exclusiva entre um homem e uma mulher, o que deu às mulheres poder exclusivo sobre marido e filhos. O fator fidelidade conjugal fortalece a mulher física, intelectual, social e moralmente, nutrindo crianças seguras, homens maduros, comunidades sadias e nações fortes.

MOVIMENTO MONÁSTICO

O movimento monástico começou em resposta à politização da Igreja, decorrente da oficialização do cristianismo como religião oficial do Estado imperial romano. Muitos cristãos, com o intuito de preservar sua espiritualidade, optaram por um estilo de vida que propunha o isolamento da contaminação mundana.

A perspectiva de moralidade desenvolvida pelos monásticos foi o que mais afetou os conceitos relacionados à sexualidade. O isolamento do mundo ímpio acabou construindo, ao longo dos anos, uma cultura religiosa rigidamente celibatária.

Um aspecto marcante no movimento monástico foi a abertura e o cultivo da racionalidade. Fazia parte da vida nos mosteiros estudar várias disciplinas, como matemática, física, astronomia, artes e línguas, fazendo que o pensamento científico fosse aprimorado ao longo dos séculos.

Enquanto os monges orientais estavam isolados no deserto, esvaziando-se mentalmente, meditando passivamente sobre a beleza da natureza, buscando afastar-se da matéria, os monges ocidentais exercitavam a mente e desenvolviam tecnologias que geravam recursos e aprimoravam a qualidade de vida. Partia-se do princípio de que todas as vocações carregam peso de sacerdócio perante Deus, isto é, qualquer profissão é sagrada quando praticada para a glória de Deus e traz como recompensa a dignidade e o sustento de que precisamos. Em relação aos valores humanitários, muitas ordens cristãs se esforçavam arduamente na assistência social e no cuidado com os necessitados.

Apesar de todos os aspectos positivos do movimento monástico, a prática da espiritualidade reduziu-se muito nessa busca por solidão, fazendo que o conceito de santidade se baseasse fundamentalmente na abstinência sexual e conjugal. O sexo passou a ser visto como algo carnal, imiscível com a espiritualidade. Com o passar do tempo, isso produziu uma grande mudança social e religiosa no Ocidente, mantida até hoje pelos sacerdotes católicos — uma cultura sacerdotal celibatária.

LUTERO E A REFORMA PROTESTANTE

Lutero viveu em uma das épocas de maior escuridão espiritual. Na verdade, o seu ministério ajudou a demarcar o fim de uma época conhecida como "os mil anos de trevas" (500–1500 d.C.), quando a Igreja foi sendo paulatinamente despojada de praticamente todas as verdades que corroboravam a vida cristã autêntica. Até mesmo os princípios mais elementares do evangelho, como a salvação, haviam sido perdidos e deturpados. Para se ter uma ideia, a corrupção religiosa estava tão generalizada que, naquela época, a salvação só era oferecida mediante o pagamento de indulgências.

Foi grande o impacto social decorrente da redescoberta da verdade bíblica de que somos salvos e justificados por Deus mediante a fé no sacrifício perfeito de Jesus. Um duro golpe nos cofres e nos abusos da Igreja Romana que trouxe libertação financeira e religiosa. Este foi um dos motivos pelos quais a reforma iniciada com Martinho Lutero teve tanta repercussão: o forte impacto que ela causou no bolso da população.

Um aspecto importante da Reforma, porém, veio no campo da sexualidade e da família quando Lutero confrontou o conceito de santidade promovido pela Igreja Romana, que se fundamentava na abstinência conjugal. Sofrendo muitas retaliações, Lutero se refugiou no Castelo de Wartburg, na Alemanha, passando a dedicar-se intensamente ao estudo das Escrituras e à tradução do Novo Testamento para o alemão.

Uma nova leitura da Bíblia mostrou-lhe que o movimento monástico foi construído sobre uma crença errada: a de que a santidade requeria a virgindade perpétua e que o sexo e o casamento eram "carnais". Ao se deparar com Gênesis 2.24, ele compreendeu que o matrimônio, na sua forma originalmente estabelecida por Deus, constituía-se no mais poderoso mecanismo divino para produzir caráter e maturidade no ser humano.

O casamento é, portanto, a expressão mais original possível do propósito divino para a raça humana. Ele foi instituído antes mesmo de o pecado entrar no mundo, ou de haver governos ou a Igreja. Depois de tantas vezes expressar a sua satisfação com a criação, ao dizer que tudo o que criara era bom, Deus exprimiu: "não é bom que o homem esteja só" (Gênesis 2.18).

Lutero redescobriu essa mesma percepção divina. Ele entendeu claramente que, apesar do sucesso dos mosteiros em desenvolver a racionalidade, ali não se cultivava caráter — sua razão original de ser. Ficou evidente para Lutero que o princípio original de Deus para produzir santidade de caráter e maturidade emocional está associado ao casamento e à procriação. A instituição romana, porém, proibia a participação dos líderes religiosos nessa bênção.

Com isso, Lutero concluiu que o sexo era parte da criação boa e perfeita de Deus e que o conceito de santidade pregado pela cultura vigente dos monastérios (baseado na abstinência conjugal e sexual) estava essencialmente equivocado. Lutero levou esse entendimento muito a sério, a ponto de se casar com uma ex-freira. Essa decisão se tornou uma arma nas mãos de seus adversários para atacar a Reforma, pois diziam que o movimento era apenas um meio de Lutero saciar seu desejo pecaminoso por sexo. Ele respondeu dizendo que agora, sim, ele estava trilhando o caminho da verdadeira santidade. Lutero afirmou: "Um ano de casamento me santificou mais que dez anos de monastério!".

O matrimônio traz à tona o que há de pior em nós, mas também nos refina. O casamento monogâmico desafia o caráter humano, estabelecendo uma aliança por toda a vida, pois temos de aprender a conviver com uma pessoa do sexo oposto, totalmente diferente de nós, exercitando fidelidade, confiança, compromisso, transparência e muitos outros valores implícitos na natureza divina. Um verdadeiro xeque-mate no egoísmo e nas limitações de caráter e comportamento.

Lutero propagou a ideia radicalmente nova de que o casamento, não o mosteiro, é a verdadeira escola do caráter, que produz, de fato, pessoas sadiamente emancipadas e maduras. O sexo matrimonial, não o celibato, constrói uma cultura forte. Hoje, mais do que nunca, é evidente que o celibato gera muitas distorções e abusos, misturando religiosidade com imoralidade (1Timóteo 4.3).

Também estava muito claro para Lutero que, assim como o sexo restrito ao matrimônio monogâmico produz indivíduos, famílias e comunidades fortes, a atividade sexual extramonogâmica, sem as restrições da moralidade e da sabedoria, é altamente destrutiva. Ao defender o casamento, Lutero estava promovendo a ideia, moralmente exigente, de uma relação de amor exclusivo e ao longo de toda a vida entre um homem e uma mulher. O sexo dentro do casamento é sagrado e honrado, mas fora é pecaminoso e destrutivo. Lutero restabeleceu os valores bíblicos para o casamento, que civilizaram a Europa.

A monogamia é difícil porque não pode ser sustentada sem uma espiritualidade que ordena o amor acima da luxúria; submissão como segredo da legítima autoridade; fidelidade conjugal como base da confiança e da intimidade; mansidão como a fonte de serviço e conquista. Realmente, como uma escola que aprimora a índole humana, a monogamia é difícil. É por isso que nenhuma cultura na história a tornou obrigatória. Essa é uma ideia peculiar do Novo Testamento, enraizada nas escrituras judaicas: Adão e Eva deveriam ser permanentemente um: aquilo que Deus uniu, não separe o homem.

Imagine como a maioria dos sacerdotes na Europa, que eram todos celibatários, receberam a pregação de Lutero, que demonstrava biblicamente que o casamento, não a abstinência familiar, prepara ainda melhor o ser humano para servir a Deus. Para a maioria, era tudo que eles queriam ouvir!

Antes de Lutero, os sacerdotes europeus não se casavam. Essa nova compreensão sobre o casamento libertou aquela geração de pessoas que queriam servir a Deus, mas se sentiam oprimidas pelo voto de castidade e pobreza. Esse conceito da fidelidade matrimonial associado ao ministério cristão espalhou-se por todo o mundo — especialmente por Inglaterra e outros países do norte europeu — com o ímpeto de uma grande e consistente revolução.

Com essas bases familiares já bem fortalecidas, os puritanos britânicos e suas famílias fugiram da perseguição religiosa e foram para a América do Norte em busca de liberdade. Esse aspecto da estrutura familiar, levado pelos ingleses, afetou profundamente a forma como se deu a colonização dos Estados Unidos. O resultado é que a sociedade que melhor definiu e experimentou o modelo divino para a família foi a ocidental (anglo-saxônica e norte-americana). Isso a tornou incomparavelmente mais forte que as demais.

Isso, porém, permaneceu até a década de 1960. Desde então, um crescente retrocesso tem ocorrido. Para compreendermos melhor essa mudança, vamos fazer um breve apanhado histórico da desfuncionalização familiar, que está cada vez mais globalizada. Assim, podemos discernir as principais heranças culturais que estão moldando o nosso mundo e homogeneizando a cultura.

A REVOLUÇÃO SEXUAL DE 1960

Para Lutero, o sexo visa ao prazer, à procriação e ao estabelecimento de uma ligação familiar, em unidade permanente. A revolução sexual de 1960 separou os prazeres do sexo do papel que essa ligação desempenha na construção de relações estáveis e seguras. O resultado foi a transformação de homens em meninos irresponsáveis com relação às esposas e aos filhos, além de mulheres fortes, mães solteiras e donas de casa desesperadas.

Entre 1999 e 2004, a taxa de suicídio nos Estados Unidos aumentou 19,4% para homens e 31% para mulheres na faixa etária de 45 a 54 anos. Uma pesquisa recente realizada no Brasil alertou que os homens estão chegando à fase adulta apenas aos 45 anos de idade, em média, um retardamento moral e emocional crônico.

A maioria dos sociólogos concorda que a civilização ocidental se tornou mais forte que outras porque suas mulheres e famílias se tornaram mais fortes que as orientais, porém, desde os anos 1960, essa realidade está mudando tragicamente.

Podemos estabelecer duas fases principais que marcaram a revolução sexual:

Fase 1: Mudanças sociológicas

Ascenção americana

Abalada pelas guerras ocorridas na primeira metade do século XX, a Europa deixou de ser o aglomerado das grandes potências mundiais e deu lugar aos Estados Unidos. Beneficiados pelos dois grandes conflitos mundiais, os Estados Unidos se transformam na maior potência econômica, científica e bélica do mundo, seguida da Rússia (posteriormente, União Soviética).

O crescimento do país aconteceu em diferentes áreas, entre elas comunicação, entretenimento e, principalmente, propaganda e *marketing*. Rapidamente, os Estados Unidos se transformaram no maior país exportador de cultura do planeta, fazendo que as mudanças que passaram a ocorrer em seu âmbito interno assumissem proporções globais. Começou um intenso processo de secularização — ou "hollywoodização" — do mundo.

O movimento feminista

Com a Segunda Guerra Mundial, os Estados Unidos cresceram economicamente, mas passaram a viver um desequilíbrio social, pelo fato de que cinquenta milhões de americanos foram enviados para a guerra. A enorme lacuna deixada por pais e maridos causou um deslocamento social, o que fez que a mulher migrasse de dentro do lar para o mercado de trabalho.

Sem o suporte do marido, a mulher americana tornou-se a grande força da mão de obra nas fábricas e empresas, principalmente nas de cunho bélico. Com isso, rapidamente elas levantaram a economia nacional e conquistaram sua independência financeira. Nesse ponto, surgiu uma nova demanda industrial pela produção de eletrodomésticos que ajudassem a mulher nos seus deveres domésticos.

Depois de conquistar a independência financeira, a mulher partiu em busca da independência sexual, o que pôs em xeque o casamento e a família. Foi quando o movimento feminista ganhou força total.

Assim que os milhões de homens retornaram da guerra, encontraram uma mulher diferente, independente, secularizada, com uma nova proposta de vida fora do lar. Esses homens e mulheres geraram a geração dos *baby boomers* (crianças que nasceram no pós-guerra, entre 1946 e 1964), protagonistas do movimento *hippie* nos anos 1960 e 1970.

A independência sexual da mulher ganhou um novo avanço com o desenvolvimento da pílula anticoncepcional. Ela ajudou a promover a transformação da vida americana no que se refere a estrutura familiar, comportamento sexual, definição de papéis e local de trabalho. Ainda que a pílula tenha sido criada para as mulheres pobres dos países considerados subdesenvolvidos, com o objetivo de conter a explosão demográfica, suas maiores consumidoras foram mulheres de classe média e alta dos Estados Unidos e da Europa.

A pílula chegou quando as pessoas já tinham começado a mudar as atitudes em relação ao sexo. Muitos fatores contribuíram para o que se tornou conhecido como a revolução sexual: a revolta geracional, o aumento no número de jovens com uma cabeça pós-guerra, o movimento feminista lutando por igualdade e a pílula. A maior contribuição da pílula foi a separação de causa e consequências do sexo.

A cultura do *divorce no fault*

O Ocidente foi capaz de sustentar a monogamia apenas enquanto acreditou que o amor era um dom da graça, uma das virtudes do fruto do Espírito. A partir do momento em que as pessoas passaram a ser ensinadas que espírito não existe e que amor é apenas o resultado de química, começou-se a crer que, uma vez que a química muda, você não consegue amar a mesma pessoa para sempre.

A química é egoísta e a vida espiritual não negocia o autossacrifício pela química. Com esse ensino, o divórcio se tornou comum. Com isso, veio a descriminalização social do adultério e a famosa cultura do *divorce no fault* [divórcio sem culpa] nos Estados Unidos.

Banalização do casamento

Quando a consciência social americana acerca do divórcio foi cauterizada, a vida sexual começou a perder os limites, o que teve grande impacto no estilo de vida dos jovens e adolescentes. Junto com o movimento de contracultura, que confrontava a política americana da guerra, entrou em cena a cultura do não casamento: sexo livre, drogas e *rock and roll*.

A tragédia espiritual só não foi maior devido ao *Jesus Movement*, um grande avivamento que se alastrou por toda a América e resgatou milhões de perdidos. Muitos dos grandes pregadores e missionários da atualidade são filhos desse mover divino nos anos 1970.

Fase 2: Consequências sociológicas nos anos 1970

Epidemia de adolescentes grávidas e pais precoces

As pessoas passaram a ter vida sexual ativa cada vez mais cedo. A dura escravidão produzida pela permissividade se infiltrou na sociedade ocidental disfarçada de liberdade, paz e amor. A década de 1970 é caracterizada por uma explosão de gestações indesejadas, em um problema epidêmico. As transformações sociais trazidas pelo movimento feminista começam a produzir profundas feridas na sociedade.

A indústria do aborto

Com o crescente aumento de gestações precoces e indesejadas, a solução defendida pela sociologia espiritualmente cética e cega foi o aborto. Essa mentalidade o transformou em uma das maiores e mais sinistras indústrias do planeta, que leva milhões de crianças a serem assassinadas por quem mais deveria aceitá-las, protegê-las e amá-las. É difícil avaliar o crédito de injustiça que tem sido espiritualmente acumulado com tanto derramamento de sangue inocente.

A viabilidade do aborto vem sendo ensinada a jovens e adolescentes nas escolas. O que muitos não cogitaram é a diferença entre a teoria e a prática do aborto. Apesar de a teoria ser convincente e tudo parecer normal e seguro, quando uma adolescente passa pela experiência de assassinar o próprio filho, a devastação é total. Além das duras implicações espirituais, essas pessoas multiplicam as chances de sofrerem severos distúrbios emocionais e orgânicos, como problemas depressivos, esterilidade e culpa crônica.

Aumento exponencial das desordens psicoemocionais

Todos esses fatores foram produzindo uma total desproteção espiritual do indivíduo e da sociedade. A predisposição aos distúrbios emocionais vem crescendo de forma alarmante. O crédito de injustiça, imoralidade, orfandade, aborto, divórcio e apostasia acumulado pelos filhos da revolução sexual começa a cobrar um alto preço, destruindo a saúde física e psicoemocional de muitos.

Pesquisas apontam que, nos últimos trinta anos, o percentual de pessoas com distúrbios depressivos subiu de 3% para 30% na população americana. Grande parte dos ocidentais está vivendo à base de antidepressivos, ansiolíticos, psicotrópicos e tratamentos psicológicos e psiquiátricos.

Abuso infantil

A fragmentação familiar trouxe consigo a perda dos vínculos familiares, o que elevou de modo epidêmico os índices de abuso e violência. Mães solteiras, pais marginalizados, filhos vulneráveis, famílias miseráveis são ingredientes para a proliferação de pedofilia, prostituição infantil, pornografia e todo tipo de violência e perversão sexual. Na verdade, as pessoas que pagam o maior preço na separação conjugal são os filhos. Sem o convívio e a proteção dos pais, eles ficam vulneráveis a abusos físicos, morais e, principalmente, sexuais.

Confusão entre correção e violência

Devido ao elevadíssimo índice de abusos, o governo decidiu interferir diretamente na forma como os pais ou responsáveis educam os filhos. Entra em cena uma questão dificílima, um sério conflito entre duas esferas de autoridade: família e governo. Como diferenciar a correção do abuso? Deve-se tirar a autoridade dos pais para corrigir os filhos tentando prevenir os abusos? Como controlar a forma como pais e responsáveis tratam os filhos?

Um dos resultados desse dilema é que temos uma geração superprotegida pela lei que cresce sem correção e, cada vez menos, respeita os pais ou qualquer outro tipo de autoridade. Quando a nova geração não é corrigida, ela tende à delinquência. Essa foi a transgressão de Eli, que não teve força moral para corrigir os filhos. Mesmo sabendo que eles praticavam imoralidades e roubavam as ofertas, não os repreendeu, mas deixou que continuassem ministrando no tabernáculo. Os resultados foram trágicos: a presença de Deus deixou a nação, Eli e seus filhos morreram, sua casa foi removida do ministério sacerdotal e sua descendência foi tragicamente amaldiçoada.

Uma mãe zelosa, em uma igreja nos Estados Unidos na qual ministrei, estava sendo ameaçada de perder a guarda do filho por usar uma varinha para corrigi-lo. Depois de explicar biblicamente por que agia dessa forma, perguntou ao policial que a confrontava: "Sabe por que uso a vara para corrigir o meu filho quando isso é necessário?". Ele respondeu: "Por quê?". Ela disse: "Está vendo esse cassetete pendurado no seu cinto?". "Sim", disse ele. E ela finalizou a conversa: "Se eu não corrigir o meu filho com a vara, daqui a pouco, quem vai bater nele com esse cassetete é você!".

Delinquência: distorções no campo da moralidade e da sexualidade

O problema da distorção sexual parece que nunca terá fim. A homossexualidade é resultado de uma dura perseguição, herdada espiritualmente, que, ao se instalar, ativa malignamente o sistema hormonal, distorcendo gradativamente a identidade sexual do indivíduo. Em muitos casos que atendi, constata-se um esquema multigeracional de propagação de abusos e imoralidades, praticados na surdina.

Abraçar a pessoa a despeito das suas escolhas é uma questão de civilidade; ser obrigado a aprovar uma conduta que fere valores individuais é abuso. Apesar de abraçarem a pessoa em questão, os que não aprovam a conduta homossexual, por exemplo, são ostensivamente marginalizados e discriminados.

Conceito de família sem casamento

A ideia de que família existe a despeito do casamento é socialmente destrutiva. Nossa sociedade praticamente já institucionalizou um conceito de família sem casamento: sem lealdade, compromisso, confiança, amor sacrificial nem verdade. Todos esses valores e mecanismos, que nos fazem participantes da natureza divina, estão cada vez mais excluídos, fragilizando ainda mais os alicerces da sociedade. Sem esse alicerce, toda tentativa de lidar com a rebelião, a violência, a criminalidade e a imoralidade das decorrentes gerações é como enxugar gelo.

A ÚLTIMA ESPERANÇA, QUE NUNCA MORRE

Esse breve resumo histórico nos faz lembrar do ponto em que caímos: a sociedade tropeçou no altar do matrimônio, e o tombo tem sido grande. Só existe uma única esperança: a Igreja de Cristo, a coluna da firmeza e da verdade, dispondo-se a uma nova revolução sexual. O despertar divino de uma nova geração pura, que tem a ousadia de se guardar para o matrimônio! Uma revolução moral capaz de restaurar os alicerces bíblicos da família e do casamento!

Deus certamente está levantando esse povo. Milhares já estão engajados nessa linha de frente. Fico empolgado com a enorme quantidade de pessoas, ministérios e igrejas que têm trabalhado seriamente em prol da restauração familiar no Brasil.

Eu endosso a vida e o casamento dos meus queridos amigos e companheiros de ministério Luciano e Kelly Subirá. Também recomendo este livro, um baú de pedras preciosas, uma poderosa ferramenta para discipular a Igreja e as nações, um manual bíblico de casamento e família, essencial para este tempo.

A trombeta de Deus está soando, chamando-nos para um campo de batalha específico, onde certamente todas as batalhas são decididas! Quem tem ouvidos, ouça!

O Noivo se aproxima! Prepare-se para o casamento!